Will & Will
Um nome, um destino

John Green
David Levithan

Outras obras de David Levithan publicadas pela Galera:

Nick e Norah: Uma noite de amor e música, com Rachel Cohn
Will & Will: um nome, um destino, com John Green
Todo dia
Invisível, com Andrea Cremer
Garoto encontra garoto
Dois garotos se beijando
Naomi e Ely e a lista do não beijo, com Rachel Cohn
Me abrace mais forte

TRADUÇÃO DE
RAQUEL ZAMPIL

26ª edição

— **Galera** —
Rio de Janeiro
2020

CIP-BRASIL. CATALOGAÇÃO NA FONTE
SINDICATO NACIONAL DOS EDITORES DE LIVROS, RJ

G83w
26ª ed.

Green, John, 1977-
　　Will & Will - Um nome, um destino / John Green & David Levithan; tradução de Raquel Zampil. – 26ª ed. – Rio de Janeiro: Galera Record, 2020.

Tradução de: will grayson, will grayson
ISBN 978-85-01-09388-2

1. Ficção americana. I. Levithan, David. II. Zampil, Raquel. II. Título.

13-6830.

CDD: 813
CDU: 821.111(73)-3

Título original em inglês:
will grayson, will grayson

Copyright © 2010 by John Green and David Levithan

Esta edição foi publicada mediante acordo com Dutton Children's Books, pertencente a Penguin Young Readers Group, que faz parte de Penguin Group (USA) Inc.

Texto revisado segundo o novo Acordo Ortográfico da Língua Portuguesa.

Todos os direitos reservados.
Proibida a reprodução, no todo ou em parte, através de quaisquer meios.

Composição de miolo: Renata Vidal da Cunha

Direitos exclusivos de publicação em língua portuguesa somente para o Brasil adquiridos pela
EDITORA RECORD LTDA.
Rua Argentina 171 - Rio de Janeiro, RJ - 20921-380 - Tel.: 2585-2000, que se reserva a propriedade literária desta tradução.

Impresso no Brasil

ISBN 978-85-01-09388-2

Seja um leitor preferencial Record.
Cadastre-se e receba informações sobre
nossos lançamentos e nossas promoções.

Atendimento e venda direta ao leitor:
sac@record.com.br

EDITORA AFILIADA

Para David Leventhal
(por estar tão próximo)
— DL

Para Tobias Huisman
— JG

Reconhecimentos

Reconhecemos que Jodi Reamer é uma agente foda, e, mais ainda, reconhecemos que ela poderia derrotar nós dois, de uma só vez, numa queda de braço.

Reconhecemos que meter o dedo no nariz do amigo é uma escolha pessoal e que pode não ser adequado a todas as personalidades.

Reconhecemos que este livro provavelmente não existiria se Sarah Urist Green não tivesse gargalhado quando lemos pra ela em voz alta os dois primeiros capítulos, há muito tempo, em um apartamento muito, muito distante.

Reconhecemos que ficamos um pouco decepcionados ao saber que a confecção Penguin não tem nenhuma relação com a editora Penguin, pois esperávamos ter desconto em umas camisas polo deles.

Reconhecemos como Bill Ott, Steffie Zvirin e a fada-madrinha de John, Ilene Cooper, são puramente fabulosos.

Reconhecemos que, da mesma maneira que não se poderia ver a Lua não fosse pelo Sol, não haveria como vocês nos virem não fosse pelo brilho magnífico e contínuo de nossos amigos escritores.

Reconhecemos que um de nós colou nas provas no fim do ensino médio, mas que não era essa a intenção.

Reconhecemos que os nerdfighters são incríveis.

Reconhecemos que ser a pessoa que Deus criou não pode separá-lo do amor de Deus.

Reconhecemos que nós cronometramos a finalização deste livro a fim de convencer nossa magistral editora, Julie Strauss-Gabel, a dar ao seu bebê o nome de Will Grayson, mesmo que seja uma menina. O que é de certa forma enganoso, porque provavelmente nós é que devíamos batizar bebês em homenagem a ela. Mesmo que fossem meninos.

capítulo um

Quando eu era pequeno, meu pai costumava me dizer: "Will, você pode escolher a dedo seus amigos e pode meter o dedo no próprio nariz, mas não pode meter o dedo no nariz do seu amigo." Essa observação me pareceu razoavelmente perspicaz aos 8 anos, mas acabou se mostrando incorreta em alguns aspectos. Pra começar, não é possível escolher a dedo os amigos, ou eu nunca teria acabado com Tiny Cooper.

Tiny Cooper não é a pessoa mais gay do mundo, tampouco é a maior pessoa do mundo, mas acredito que ele possa ser a maior pessoa do mundo que é muito, muito gay, e também a pessoa mais gay do mundo que é muito, muito grande. Tiny é meu melhor amigo desde o quinto ano do ensino fundamental, exceto pelo último semestre, quando ele ficou ocupado descobrindo todo o alcance de sua gayzice, e eu fiquei ocupado com um Grupo de Amigos de verdade pela primeira vez na vida, grupo esse que acabou se tornando um grupo de Nunca Mais Fale Comigo por causa de duas leves transgressões:

1. Depois que um membro do conselho escolar ficou todo irritado com a presença de gays no vestiário, defendi o direito de Tiny Cooper de tanto ser gigante (e, portanto, o melhor da linha ofensiva da bosta do nosso time de futebol americano) quanto gay em uma carta pro jornal da escola, a qual eu, estupidamente, assinei.

2. Esse cara do Grupo de Amigos, chamado Clint, estava falando sobre a carta na hora do almoço e, ao falar dela, me chamou de baitola, e eu não sabia o que era um baitola então perguntei: "Como assim?" E ele então me chamou de baitola de novo e, nessa hora, eu mandei ele se foder, peguei minha bandeja e saí da mesa.

O que acho que significa que tecnicamente fui *eu* quem deixou o Grupo de Amigos, embora parecesse o contrário. Sinceramente, nenhum deles jamais pareceu gostar muito de mim, mas eles estavam *por perto*, o que já é alguma coisa. E agora não estão mais, deixando-me totalmente desprovido de companhia social.

Isto é, a menos que se conte Tiny. O que suponho que eu deva fazer.

E/porém/portanto, algumas semanas depois de voltarmos das férias de Natal no terceiro ano, estou sentado em meu Lugar Marcado na aula de pré-cálculo quando Tiny entra em seu passo de valsa, vestido com a camisa do time enfiada para dentro da calça cáqui, embora a temporada de futebol já tenha acabado há muito tempo. Todos os dias, Tiny consegue, milagrosamente, se fazer caber na carteira ao lado da minha na sala de pré-cálculo e, todos os dias, fico espantado que ele consiga fazer isso.

Então, Tiny se espreme na cadeira, fico devidamente espantado, e ele se vira para mim e sussurra bem alto porque secretamente quer que as outras pessoas escutem: "Estou *apaixonado*." Reviro os olhos, porque ele se apaixona de hora em hora por algum pobre garoto. Todos eles parecem iguais: magricelas, suarentos e bronzeados, sendo esse último aspecto uma abominação, porque todos os bronzeados de Chicago em fevereiro são falsos, e garotos que se bronzeiam artificialmente — não estou nem aí se são gays ou não — são ridículos.

— Você é tão cínico — diz Tiny, agitando a mão na minha direção.

— Não sou cínico, Tiny — respondo. — Sou prático.

— Você é um robô — continua ele. Tiny acha que sou incapaz do que os humanos chamam de emoção porque não choro desde meu aniversário de 7 anos, quando vi o filme *Todos os cães merecem o céu*. Suponho que eu devesse saber pelo título que o final não seria feliz, mas, em minha defesa, eu tinha 7 anos. De qualquer forma, desde então, não chorei nunca mais. Eu não entendo muito bem qual é o *sentido* de chorar. Além disso, acho que chorar é quase — assim, exceto em caso de morte de parentes ou coisa parecida — totalmente evitável, se você seguir duas regras muito simples: 1. Não se importar muito com nada. 2. Calar a boca. Todas as coisas ruins que já me aconteceram derivaram do não cumprimento de uma dessas regras.

— Sei que é amor de verdade porque *sinto* — diz Tiny.

Aparentemente a aula começou sem que percebêssemos, porque o Sr. Applebaum, que ostensivamente nos ensina précálculo, mas que principalmente me ensina que a dor e o sofrimento devem ser suportados estoicamente, pergunta:

— Sente o quê, Tiny?

— Amor! — responde Tiny. — Eu sinto o amor.

E todos se viram e riem ou resmungam diante da resposta de Tiny, e como estou sentado ao lado dele, que é meu melhor e único amigo, estão rindo e resmungando para mim também, e essa é precisamente a razão por que eu não escolheria Tiny Cooper como meu amigo. Ele chama atenção demais. Além disso, tem uma incapacidade patológica de seguir minhas duas regras. E assim ele anda por aí com passos de valsa, dando importância demais às coisas e falando sem parar, e então ficando desorientado quando o mundo caga na cabeça dele. E, naturalmente, por causa da mera proximidade, isso significa que o mundo caga na minha cabeça também.

Depois da aula, estou olhando meu armário e me perguntando como consegui deixar *A letra escarlate* em casa, quando do Tiny se aproxima com seus amigos da Aliança Gay-Hétero, Gary (que é gay) e Jane (que pode ou não ser — nunca perguntei), e me diz:

— Parece que todo mundo está pensando que me declarei pra você em pré-cálculo. Eu, apaixonado por Will Grayson. Não é a maior idiotice que você já ouviu?

— Maravilha — digo.

— As pessoas são tão idiotas — afirma Tiny. — Como se houvesse alguma coisa errada em estar apaixonado.

Então Gary solta um resmungo. Se a gente pudesse escolher os amigos, eu consideraria Gary. Tiny se tornou próximo de Gary, Jane e do namorado de Gary, Nick, quando se afiliou à AGH durante meu período como membro do Grupo de Amigos. Eu mal conheço Gary, já que só voltei a andar com Tiny há duas semanas mais ou menos, mas ele parece a pessoa mais normal com quem Tiny já fez amizade.

— Tem uma diferença — observa Gary —, entre estar apaixonado e anunciar isso no meio da aula de pré-cálculo.

Tiny começa a falar, mas Gary o corta.

— Quero dizer, não me entenda mal. Você tem todo o direito de estar apaixonado por Zach.

— Billy — corrige Tiny.

— Espere aí, o que aconteceu com Zach? — pergunto, porque podia jurar que Tiny estava apaixonado por Zach na aula de pré-cálculo. Mas 47 minutos haviam se passado desde sua declaração pública, então talvez ele já tenha andado com a fila. Tiny já teve uns 3.900 namorados — metade deles eram virtuais.

Gary, que parece tão desorientado pelo surgimento de Billy quanto eu, se encosta no armário e bate a cabeça devagar no aço.

— Tiny, o fato de você agir como um galinha não ajuda em nada a causa.

Levanto a cabeça, olhando para Tiny, e digo:

— Podemos sufocar os rumores do nosso amor? Isso prejudica minhas chances com as damas.

— Chamá-las de "damas" também não ajuda — diz Jane para mim.

Tiny ri.

— Mas, sério — digo a ele —, eu sempre me dou mal com isso.

Tiny me olha, sério, e faz que sim com a cabeça rapidamente.

— Embora, só pra registrar — diz Gary —, você poderia ter escolhido alguém pior que Will Grayson.

— E ele escolheu — observo.

Tiny gira em uma pirueta de balé até o meio do corredor e, rindo, grita:

— Querido Mundo, eu não tenho tesão em Will Grayson. Mas, mundo, tem mais uma coisa que você deveria saber sobre Will Grayson. — E então ele começa a cantar, um barítono digno da Broadway tão grande quanto a cintura dele:

— Eu não posso viver sem ele!

As pessoas riem, gritam e batem palmas à medida que Tiny continua a serenata e eu me afasto, indo pra aula de inglês. É uma longa caminhada, que fica ainda mais longa quando alguém te para e pergunta qual a sensação de ser sodomizado por Tiny Cooper, e como você consegue achar o "piruzinho gay dele" atrás daquela barriga. Respondo do mesmo modo de sempre: baixando os olhos e andando reto e rápido. Sei que estão só brincando. Sei que parte de conhecer alguém é ser mau com esse alguém ou coisa assim. Tiny tem sempre algo brilhante pra dizer, como: "Para alguém que teoricamente não me quer, você certamente passa muito tempo pensando e falando sobre o meu pênis." Talvez isso funcione pra Tiny, mas nunca pra mim. Ficar calado funciona. Seguir as regras funciona. Assim, eu calo a boca, não dou a mínima, continuo andando, e logo já acabou.

A última vez que eu disse alguma coisa digna de nota foi quando escrevi a droga da carta ao editor sobre a droga do Tiny Cooper e a droga do seu direito de ser uma droga de estrela em nosso time de futebol horrível. Não me arrependo nem um pouco de ter escrito a carta, mas sim de ter assinado. Assiná-la foi uma clara violação da regra de ficar calado, e veja onde isso me levou: sozinho numa tarde de terça-feira, fitando meus tênis pretos de cano longo.

Naquela noite, não muito depois de eu pedir pizza para mim e meus pais, que ficaram — como sempre — até tarde no hospital, Tiny Cooper me liga e muito, muito discreta e rapidamente, deixa escapar:

— Parece que o Neutral Milk Hotel vai se reunir em um show no Hideout, que não foi nada divulgado, e ninguém sabe, e puta merda, Grayson, puta merda!

— Puta merda! — grito. Uma coisa pode-se dizer a favor de Tiny: sempre que algo incrível acontece, ele é o primeiro a saber.

Bem, geralmente não sou dado a arroubos de entusiasmo, mas o Neutral Milk Hotel meio que mudou minha vida. Eles lançaram esse álbum absolutamente fantástico chamado *In the Aeroplane Over the Sea* em 1998 e, desde então, ninguém ouviu mais falar deles, supostamente porque o líder da banda vive numa caverna na Nova Zelândia. Mas, de qualquer forma, ele é um gênio.

— Quando?

— Não sei. Só ouvi falar. Vou ligar pra Jane também. Ela gosta deles quase tanto quanto você. Ok, então. Vamos para o Hideout agora.

— Estou literalmente a caminho — respondo, abrindo a porta da garagem.

Ligo pra minha mãe do carro. Digo que o Neutral Milk Hotel está tocando no Hideout e ela diz: "Quem? O quê?

Você está indo pra um hotel?" E então cantarolo alguns acordes de uma canção deles, e mamãe diz: "Ah, eu conheço essa música. Tá naquela playlist que você fez pra mim", e eu digo: "Isso mesmo" e ela diz: "Bem, você tem que estar de volta às 11", e eu digo: "Mãe, isto é um evento histórico. A história não funciona com toque de recolher", e ela diz: "De volta às 11", e eu digo: "Está bem. Meu Deus", e então ela tem de ir extrair o câncer de alguém.

Tiny Cooper mora numa mansão com os pais mais ricos do mundo. Não creio que o pai ou a mãe dele tenham emprego, mas eles são tão revoltantemente ricos que Tiny Cooper nem mesmo mora *na* mansão; ele mora na *casa de hóspede* da mansão, sozinho. Ele tem três quartos naquela porra e uma geladeira que sempre tem cerveja, e os pais nunca o incomodam, então podemos ficar lá o dia todo e jogar futebol no videogame e beber Miller Lite, exceto pelo fato de que Tiny odeia videogame e eu odeio cerveja, então, praticamente tudo que fazemos é jogar dardos (ele tem um alvo), ouvir música e conversar e estudar. Acabo de começar a dizer o *T* de Tiny quando ele sai correndo do quarto, com um mocassim de couro preto num pé e o outro na mão, gritando:

— Vamos, Grayson, anda, anda.

E tudo corre perfeitamente bem no caminho até lá. O trânsito não está muito ruim na Sheridan, e eu faço a curva como se estivesse na Fórmula Indy 500, e estamos ouvindo a minha canção favorita do NMH, "Holland, 1945", e então pegamos a Lake Shore Drive, com as ondas do lago Michigan batendo nas rochas perto da estrada, as janelas ligeiramente abertas para fazer o carro descongelar, o ar frio, sujo e estimulante entrando, e eu adoro os cheiros de Chicago — Chicago é água salobra do lago e fuligem e suor e graxa, e eu amo isso, e amo essa música, e Tiny está dizendo *Eu amo essa música*, e ele está com o para-sol abaixado pra arrumar o cabelo com um pouco mais de cuidado. Isso me faz pensar que o Neutral Milk Hotel vai *me ver* com quase tanta certeza quanto eu vou vê-los, então faço uma rápida inspeção em mim mesmo no retrovisor. Meu rosto parece quadrado demais e meus olhos grandes demais, como se eu estivesse eternamente surpreso, mas não tem nada errado em mim que eu possa consertar.

O Hideout é um bar feito de tábuas de madeira que fica aninhado entre uma fábrica e um prédio do Departamento de Transportes. Não há nada de chique nele, mas já tem uma fila na porta, embora sejam apenas sete horas. Assim, fico esperando com Tiny por um tempo até Gary e Jane Possivelmente Gay chegarem.

Debaixo do casaco aberto, Jane está usando uma camiseta com decote em V com "Neutral Milk Hotel" rabiscados à mão. Jane surgiu na vida de Tiny mais ou menos na mesma época em que saí, então, na verdade, não nos conhecemos muito bem. Ainda assim, eu diria que atualmente ela é minha quarta melhor amiga, e parece que tem bom gosto musical.

Esperando do lado de fora do Hideout num frio de enrugar a cara, ela diz oi sem olhar pra mim, e eu digo oi de volta, e então ela diz:

— Essa banda é tããão maravilhosa.

E eu digo:

— Eu sei.

Essa é possivelmente a conversa mais longa que já tive com Jane. Chuto o cascalho por um tempo e observo uma mininuvem de poeira envolver meu pé, então digo à Jane o quanto gosto de "Holland, 1945", e ela diz:

— Gosto das coisas menos acessíveis deles. As polifônicas, barulhentas.

Eu me limito a concordar com a cabeça, na esperança de que pareça que sei o que *polifônico* significa.

Uma coisa sobre Tiny Cooper é que não se pode cochichar no ouvido dele, mesmo que você seja razoavelmente alto como eu, porque o filho da puta tem 1,98 metro; então você tem de dar um tapinha no ombro gigante dele e aí fazer meio que um sinal com a cabeça, avisando que você quer falar no ouvido dele, aí ele se inclina e você pergunta: "Ei, a Jane faz parte do lado gay ou hétero da Aliança Gay-Hétero?"

Então Tiny se abaixa até meu ouvido e cochicha de volta:

— Não sei. Acho que no primeiro ano ela teve um namorado.

Lembro a ele que Tiny Cooper teve umas 11.542 namoradas no primeiro ano, e então Tiny soca o meu braço de um jeito que ele acha que é de brincadeira, mas que, na verdade, causa um dano permanente ao sistema nervoso.

Gary está esfregando os braços de Jane para mantê-la aquecida quando *finalmente* a fila começa a andar. Então, uns cinco segundos depois, vemos um garoto parecendo inconsolável, e ele é precisamente o tipo de cara pequeno-louro-bronzeado que agrada Tiny Cooper, e então Tiny pergunta:

— O que houve?

E o garoto responde:

— É só para maiores de 21 anos.

— Você — digo a Tiny, gaguejando. — Seu baitola — Ainda não sei o que isso significa, mas parece adequado.

Ele franze os lábios e a testa. Então se vira para Jane:

— Você tem identidade falsa?

Jane assente, e Gary logo acrescenta:

— Eu também.

E eu estou flexionando os punhos, com o maxilar travado e só quero gritar, mas, em vez disso, digo:

— Tudo bem. Estou indo pra casa. — Porque *eu* não tenho uma identidade falsa.

Mas Tiny diz muito rápido e muito baixo:

— Gary, me dê o soco mais forte que você puder quando eu estiver mostrando minha identidade, e então, Grayson, você simplesmente passa atrás de mim, como se fizesse parte do grupo. — Então ninguém diz nada por algum tempo até Gary dizer alto demais:

— Hã, eu não sei dar um *soco* de verdade.

Estamos nos aproximando do segurança, que tem uma tatuagem enorme na careca, e então Tiny apenas murmura:

— Sabe, sim. É só me bater com força.

Fico um pouco para trás, observando. Jane entrega a identidade dela para o segurança. Ele ilumina o documento com uma lanterna, levanta os olhos pra Jane e o devolve. Então chega a vez de Tiny. Inspiro uma série de vezes muito rapidamente, pois li certa vez que as pessoas com muito oxigênio no sangue parecem mais calmas, e então vejo Gary ficar na ponta dos pés, levar o braço pra trás e acertar Tiny no olho direito. A cabeça de Tiny vira pra trás, e Gary grita: "Ah, meu Deus, *ai ai*, que merda, a minha mão", e o segurança dá um pulo pra agarrar Gary, e então Tiny Cooper vira o corpo pra bloquear a visão do segurança de mim, e, quando ele faz isso, entro no bar como se Tiny fosse minha porta giratória.

Uma vez lá dentro, olho pra trás e vejo o segurança agarrando Gary pelos ombros, que faz uma careta enquanto olha para a própria mão. Tiny então põe a mão no segurança e diz:

— Cara, a gente só estava de sacanagem. Mas essa foi boa, Dwight.

Levo um minuto pra deduzir que Gary é Dwight. Ou que Dwight é Gary.

O segurança diz:

— Ele te acertou na porra do olho.

E Tiny responde:

— Eu devia uma a ele. — E, em seguida, explica ao segurança que tanto ele quanto Gary/Dwight são membros do time de futebol da DePaul University, e que mais cedo, na sala de musculação, Tiny tinha dado um furo ou algo assim. O segurança diz que ele jogava na linha ofensiva no ensino médio, e, de repente, eles estão no maior papo enquanto o segurança olha a identidade extraordinariamente falsa de Gary, e então estamos todos os quatro dentro do Hideout, sozinhos com o Neutral Milk Hotel e uma centena de estranhos.

O mar de gente cercando o bar se abre, e Tiny compra duas cervejas e me oferece uma. Recuso.

— Por que Dwight? — pergunto.

E Tiny responde:

— Na identidade, ele é Dwight David Eisenhower IV.

E eu digo:

— Aliás, onde todo mundo conseguiu uma porra de uma identidade falsa?

E Tiny responde:

— Tem lugares pra isso.

Decido que vou conseguir uma.

Então digo: "Na verdade, vou tomar uma cerveja", principalmente porque quero ter alguma coisa na mão. Tiny me entrega a que ele já começara a beber, e eu me aproximo do palco sem Tiny, sem Gary e sem Jane Possivelmente Gay. Somos somente eu e o palco, erguido a apenas uns 60 centímetros, de modo que, se o líder do Neutral Milk Hotel for particularmente baixo — tipo, se tiver uns 1,20 metro —, logo estarei olhando direto nos olhos dele. Outras pessoas se aproximam do palco, e não demora pro lugar ficar lotado. Já estive aqui antes para shows de classificação livre, mas nunca foi assim — a cerveja na qual não dei nenhum gole e nem pretendo dar está suando na minha mão, há estranhos com muitos piercings e tatuagens à minha volta. Cada alma ali no Hideout agora é mais maneira que qualquer um do Grupo de Amigos. Essas pessoas não acham que tem alguma coisa errada comigo — elas nem mesmo me *notam*. Presumem que eu seja um deles, o que parece o verdadeiro ápice de minha carreira no ensino médio. Aqui estou eu, numa noite de maiores de 21, no melhor bar da segunda cidade dos Estados Unidos, me preparando para estar entre as duzentas pessoas que verão o show de retorno da maior banda desconhecida da última década.

Os tais quatro caras surgem no palco, e, embora eles não tenham a menor semelhança com os membros do Neutral Milk Hotel, digo a mim mesmo que, não importa, só vi mesmo fotos deles na internet. Mas então eles começam a tocar. Não sei bem como descrever a música dessa banda, a não ser dizendo que o som deles parece o de cem mil doninhas sendo jogadas em um oceano fervendo. E então o cara começa a cantar:

Ela me amava, yeah
Mas agora me detesta
Ela transava comigo, mermão
Mas agora namora
Outros caras
Outros caras

Exceto por uma lobotomia pré-frontal, não existe absolutamente a menor chance de que o líder do Neutral Milk Hotel *pensasse*, quanto mais *escrevesse*, quanto mais *cantasse* uma letra dessas. E então me dou conta: esperei lá fora, na rua fria e mal iluminada, no meio da fumaça dos carros, e causei uma possível fratura na mão de Gary pra ouvir uma banda que, evidentemente, *não* é o Neutral Milk Hotel. E, embora ele não esteja em lugar algum no meio da multidão de fãs calados e atordoados do NMH que me cerca, grito imediatamente: "Maldito Tiny Cooper!"

No fim da música, minhas suspeitas são confirmadas quando o líder da banda diz, sendo acolhido por um absoluto silêncio:

— Obrigado! Muito obrigado. O NMH não pôde vir, mas nós somos o Ashland Avenue, e estamos aqui pra fazer rock!

Não, penso. *Vocês são o Ashland Avenue e estão aqui pra fazer merda!* Alguém bate no meu ombro e eu me viro e dou de cara com uma garota de vinte e poucos anos indescritivelmente bonita com um piercing nos lábios, cabelos vermelho-fogo e botas até a panturrilha. Ela diz, em tom interrogativo:

— Pensamos que fosse o Neutral Milk Hotel tocando.

E eu baixo os olhos:

— Eu... — gaguejo um instante, e então completo: — também. Também estou aqui por causa deles.

A garota se inclina até o meu ouvido e grita acima da atonal e arrítmica afronta à decência que é o Ashland Avenue:

— O Ashland Avenue não é o Neutral Milk Hotel.

Alguma coisa na lotação do salão, ou a estranheza da estranha, me deixa falante, e eu grito de volta:

— O Ashland Avenue é o que eles tocam pros terroristas pra fazer os caras falarem.

A garota sorri, e só então percebo que ela tem consciência da diferença de idade. Ela me pergunta em que escola estudo, e eu respondo "Evanston", e ela pergunta:

— Ensino *médio*?

E eu digo:

— Sim, mas não conta pro cara do bar.

E ela retruca:

— Agora eu me sinto uma pervertida de verdade.

E eu pergunto:

— Por quê?

E ela apenas dá uma risada. Sei que a garota não está a fim de mim, mas ainda assim me sinto ligeiramente como um pegador.

E então essa mão imensa pousa no meu ombro, eu olho e vejo o anel de formatura que ele usa no dedo mindinho desde o oitavo ano e sei imediatamente que é Tiny. E pensar que alguns idiotas afirmam que os gays têm bom gosto.

Eu me viro e vejo que Tiny Cooper está derramando lágrimas imensas. Uma delas poderia afogar um gatinho. E eu pergunto só com o movimento dos lábios O QUE ACONTECEU porque o Ashland Avenue está tocando aquela merda alto demais pra que ele me ouça, e Tiny Cooper simplesmente me entrega seu telefone e se afasta. A tela mostra o mural do Facebook de Tiny, exibindo uma atualização de status.

Zach qnto mais eu penso nisso mais penso q estraguei uma grande amizade? mas ainda acho q tiny é inkrível.

Abro caminho em meio às pessoas até Tiny, puxo seu ombro e grito em seu ouvido: "ISSO É MUITO RUIM, POR-RA", e Tiny grita de volta: "FUI DISPENSADO COM UMA ATUALIZAÇÃO DE STATUS", e eu respondo: "É, PERCEBI. SABE, ELE PODIA TER PELO MENOS MANDADO UMA MENSAGEM DE TEXTO. OU UM E-MAIL. OU ENVIADO UM POMBO."

"O QUE VOU *FAZER*?", berra Tiny no meu ouvido, e eu tenho vontade de dizer: "Espero que procurar um cara que saiba que *incrível* não se escreve com k", mas apenas dou de ombros, bato de leve nas costas dele e o levo pra longe do Ashland Avenue na direção do bar.

O que acaba vindo a ser um erro. Quando já estamos quase no bar, vejo Jane Possivelmente Gay perto de uma mesa alta. Ela me diz que Gary foi embora, revoltado.

— Foi um golpe publicitário do Ashland Avenue, ao que parece — conta ela.

Eu digo:

— Mas fã algum do NMH *jamais* ouviria essa porcaria.

Então Jane levanta a cabeça e me olha, arregalando os olhos e fazendo biquinho, e diz:

— Meu irmão é o guitarrista.

Me sentindo um completo babaca, respondo:

— Ah, foi mal, cara.

E ela completa:

— Meu Deus, tô brincando. Se fosse, eu deserdaria.

Em algum momento de nossa conversa de quatro segundos, consegui perder Tiny totalmente, o que não é uma tarefa nada fácil, então conto a Jane sobre o grande fora de Tiny no Facebook, e ela ainda está rindo quando ele aparece em nossa mesa com uma bandeja redonda contendo seis doses de um líquido esverdeado

— Eu não bebo — lembro a Tiny, e ele faz que sim com a cabeça. Empurra uma dose pra Jane, que se limita a fazer que não com a cabeça

Tiny toma uma dose, faz uma careta e solta o ar

— Tem gosto do pau do demo — diz Tiny, e então empurra outra dose em minha direção.

— Parece delicioso — falo —, mas eu passo.

— Como ele pode simplesmente — berra Tiny, e então toma outra dose — me dar o fora — mais uma dose — no seu STATUS depois de eu dizer que o AMO — mais outra. — O que está acontecendo com esse mundo maldito? — Outra. — Eu o amo mesmo, Grayson. Sei que você acha que sou ridículo, mas soube que o amava no momento em que nos beijamos. Porra. O que eu vou *fazer*? — E então ele abafa um soluço com a última dose.

Jane puxa a manga da minha camisa e se inclina pra mim. Dá pra sentir seu hálito quente no meu pescoço quando ela diz:

— Vamos ter um grande problema quando ele começar a sentir o efeito dessas doses.

Concluo que Jane tem razão, e, seja como for, o Ashland Avenue é terrível, então precisamos ir embora do Hideout o mais rápido possível.

Eu me viro pra dizer a Tiny que é hora de ir, mas ele desapareceu. Olho de volta pra Jane, que está olhando na direção do bar com uma expressão de profunda preocupação. Logo depois, Tiny Cooper volta. Só duas doses dessa vez, graças a Deus.

— Bebe comigo — diz ele, e faço que não com a cabeça, mas então Jane me cutuca nas costas e percebo que preciso tomar uma no lugar de Tiny. Enfio a mão no bolso e entrego as chaves do carro a Jane. A única forma segura de evitar que ele tome o restante da bebida verde-plutônio é eu mesmo engolindo uma dose. Então pego o copo, e Tiny diz:

— Ah, foda-se ele, então, Grayson. Fodam-se todos.

E eu digo:

— Vou beber a isso. — E é o que faço; então aquilo encosta na minha língua e é como um coquetel Molotov em chamas; com copo e tudo. Involuntariamente cuspo a dose inteira na camisa de Tiny Cooper.

— Um Jackson Pollock monocromático — diz Jane; então, dirigindo-se a Tiny: — Temos que sumir daqui. Essa banda é como um tratamento de canal *sem* anestesia.

Jane e eu saímos juntos, imaginando (corretamente, como podemos perceber) que Tiny, vestindo minha dose de precipitação radioativa, vai nos seguir. Como fracassei ao ingerir as duas bebidas alcoólicas que Tiny me deu, Jane joga a chave de volta para mim em um arco bem alto. Eu a apanho e me sento ao volante depois que ela entra no banco de trás. Tiny tomba no banco do carona. Dou a partida no carro, e meu encontro com a imensa decepção auditiva chega ao fim. Mas eu mal penso sobre isso no caminho de casa, porque Tiny não para de falar sobre Zach. Tiny tem essa coisa: os problemas dele são tão enormes que os nossos podem se esconder atrás deles.

— Como uma pessoa pode estar *tão errada* em relação a uma coisa? — pergunta Tiny acima dos guinchos barulhentos da música do NMH favorita de Jane (e a minha menos favorita). Estou passando pela Lake Shore e dá pra ouvir Jane cantando no banco traseiro, um pouco desafinada, mas melhor do que eu faria se cantasse na frente de outras pessoas, o que não faço em razão da Lei da Boca Fechada. E Tiny está dizendo:

— Se você não pode confiar nos próprios instintos, então vai confiar em quê?

E retruco:

— Você pode confiar na ideia de que gostar de alguém, como regra, acaba mal.

O que é verdade. Gostar não leva ao sofrimento de vez em quando. Leva sempre.

— Meu *coração* está partido — diz Tiny, como se isso nunca tivesse acontecido com ele, como se nunca tivesse acontecido com ninguém. E talvez seja esse o problema: talvez cada novo rompimento pareça a Tiny tão radicalmente novo que, de certa maneira, não tenha *mesmo* acontecido antes. — E cê num tá ajudando — acrescenta, e é quando percebo que está arrastando as palavras.

Dez minutos pra chegar à casa dele, se não pegarmos trânsito, e então direto pra cama.

Mas não consigo dirigir tão rápido quanto o estado de Tiny deteriora. Quando saio da Lake Shore — e ainda faltam seis minutos —, ele já está arrastando as palavras *e* berrando, falando sem parar sobre o Facebook e a morte da sociedade educada, e coisas assim. Jane, com as mãos cujas unhas estão pintadas de preto, massageia os ombros elefânticos de Tiny, mas parece que ele não consegue parar de chorar, e vou perdendo todos os sinais verdes à medida que a Sheridan lentamente se desenrola à nossa frente, e as lágrimas se misturam à meleca até que a camiseta de Tiny nada mais é que um pano de chão.

— Quanto falta? — pergunta Jane.

E eu respondo:

— Ele mora numa rua que sai da Central.

E ela retruca:

— Meu Deus. Fique calmo, Tiny. Você só precisa dormir, baby. Amanhã tudo vai parecer um pouco melhor.

Por fim, viro na passagem e desvio dos buracos até parar atrás da casa de Tiny. Salto do carro e empurro meu banco pra frente pra que Jane possa sair por trás de mim. Então damos a volta até o banco do carona. Jane abre a porta, se debruça sobre Tiny, consegue, por um milagre de destreza, abrir o cinto de segurança dele, e então diz:

— Muito bem, Tiny. Hora de ir pra cama.

E Tiny responde:

— Eu sou um idiota. — E então dá um soluço que provavelmente é registrado na escala Richter, no Kansas. Mas ele se levanta e vai cambaleando até a porta dos fundos. Eu o sigo, só pra ter certeza de que ele vai pra cama sem problemas, o que acaba sendo uma boa ideia, porque ele não vai pra cama sem problemas.

Em vez disso, a uns três passos de chegar à sala, ele para subitamente. Dá meia-volta e me olha, estreitando os olhos, como se nunca tivesse me visto antes e não conseguisse deduzir o porquê de eu estar na casa dele. Então tira a camisa. Ainda está me olhando em dúvida quando, parecendo totalmente sóbrio, diz:

— Grayson, alguma coisa precisa acontecer.

— Hã?

E Tiny completa:

— Porque se não, como vai ser se acabarmos como todo mundo lá no Hideout?

E eu estou prestes a dizer *hã* de novo, porque todas aquelas pessoas eram muito mais legais que nossos colegas da escola e também muito mais legais que nós, mas aí percebo o que ele quer dizer. Ele quer dizer: e se nos tornarmos adultos à espera de uma banda que nunca vai voltar? Percebo Tiny me olhando sem expressão, oscilando pra frente e pra trás, como um arranha-céu ao vento. E então ele cai de cara no chão.

— Ai ai — diz Jane atrás de mim, e só então percebo que ela está ali.

Tiny, com o rosto enterrado no tapete, começa a chorar de novo. Fico olhando pra Jane por um bom tempo e lentamente um sorriso aparece no rosto dela. Seu rosto muda completamente quando ela sorri — o sorriso faz erguer as sobrancelhas, mostrando os dentes perfeitos e franzindo os olhos, que nunca vi ou nunca percebi. Ela fica bonita tão de repente que é quase como um passe de mágica — mas não que eu a deseje ou algo assim. Não quero parecer um babaca, mas Jane não faz o meu tipo. O cabelo dela é meio que desastrosamente enrolado e ela está quase sempre na companhia de garotos. Meu tipo é um pouco mais feminino. E, sinceramente, eu nem gosto tanto assim do meu tipo de garota, quanto mais de outros tipos. Não que eu seja assexuado — só acho insuportável o gênero Drama Romântico.

— Vamos colocá-lo na cama — diz, por fim. — Não podemos deixar que os pais dele o encontrem assim de manhã.

Eu me ajoelho e falo para Tiny se levantar, mas ele continua chorando sem parar, então, finalmente, Jane e eu nos posicionamos do lado esquerdo dele e o viramos de costas. Pulo por cima dele, e então me abaixo, segurando-o com firmeza pela axila. Jane faz o mesmo do outro lado.

"Um", diz Jane, e eu digo: "Dois", e ela diz: "Três", e geme. Mas nada acontece. Jane é pequena — dá pra ver como o braço dela afina quando ela flexiona os músculos. E eu tampouco consigo levantar minha metade de Tiny, então decidimos deixá-lo ali mesmo. Quando Jane coloca um cobertor em cima dele e um travesseiro debaixo da cabeça, Tiny já está roncando.

Estamos prestes a ir embora quando toda a produção de meleca de Tiny finalmente vai de encontro a ele e começam uns barulhos horríveis, que parecem roncos, só que mais sinistros, e também mais molhados. Eu me abaixo, me aproximando do rosto dele, e vejo que está inspirando e expirando uns fios borbulhantes e nojentos de meleca, dos últimos estertores de sua choradeira. Tem tamanha quantidade daquela coisa que fico com medo de que ele se engasgue.

— Tiny! — chamo. — Você precisa tirar essa meleca do nariz, cara. — Mas ele nem se mexe. Então me aproximo de seu ouvido e grito: — Tiny!

Nada. Jane dá um tapa na cara dele, com muita força. Niente. Só o horrível ronco do tipo se afogando em meleca.

E é aí que me dou conta de que Tiny Cooper não pode meter o dedo para limpar o próprio nariz, contrariando a segunda parte do teorema de meu pai. E, logo depois, sob o olhar atento de Jane, invalido inteiramente o teorema quando estendo a mão e livro as vias aéreas de Tiny da meleca. Resumindo: eu não posso escolher a dedo meu amigo; ele não pode meter o dedo pra limpar o próprio nariz; e eu posso — não, eu *tenho* de — meter o dedo por ele.

capítulo dois

vivo constantemente dividido entre me matar e matar todos à minha volta.

essas parecem ser as duas opções. tudo o mais é só pra matar o tempo.

neste momento, estou atravessando a cozinha em direção à porta dos fundos.

mãe: toma o café da manhã.

não tomo café da manhã. nunca tomo café da manhã. não tomo café da manhã desde que pude sair pela porta dos fundos sem tomar o café antes.

mãe: aonde você vai?

à escola, mãe. você devia experimentar um dia.

mãe: não deixe o cabelo cair no seu rosto assim — não consigo ver seus olhos.

mas veja, mãe, é justamente essa *a porra do propósito.*

eu me sinto mal por ela — sinto, sim. é uma pena, mesmo, que eu tenha que ter mãe. não deve ser fácil ter um filho como eu. nada pode preparar uma pessoa pra esse tipo de decepção.

eu: tchau.

não digo "bom-dia". acredito que essa seja uma das expressões mais imbecis já inventadas. afinal, você não tem a opção de dizer "mau-dia" ou "horríveldia" ou "não-dou-a-mínima-pro-seu-dia". todas as manhãs, espera-se que seja o início de um bom dia. bem, eu não acredito nisso. acredito *contra* isso.

mãe: tenha um bom d...

a porta meio que se fecha no meio da frase, mas não que eu não possa adivinhar como termina. ela costumava dizer "até mais tarde!" até que numa manhã eu estava tão cansado daquilo que disse a ela: "não, até nunca".

ela tenta, e é isso que torna tudo tão patético. eu só queria dizer: "sinto muito por você, sinto mesmo." mas isso pode dar início a uma conversa, e uma conversa pode dar início a uma briga, e então eu me sentiria tão culpado que talvez tivesse que me mudar pra portland ou algo assim.

preciso de café.

toda manhã, rezo pra que o ônibus escolar bata, e que todos morramos nos destroços pegando fogo. então minha mãe vai poder processar a empresa que fabrica ônibus escolares por não fazer ônibus escolares com cintos de segurança e conseguir mais dinheiro com minha trágica morte do que eu jamais conseguiria ganhar em minha trágica vida. a menos que os advogados da fábrica de ônibus possam provar para o júri que eu seria um fracasso garantido. então eles se livrariam do processo dando à minha mãe um ford fiesta usado e considerando a questão resolvida.

maura não está exatamente à minha espera antes da escola, mas eu sei, e ela sabe, que vou procurar por ela onde estiver. em geral recorremos a isso para que possamos dar algumas risadas ou algo assim antes de irmos embora. é como aquelas pessoas que se tornam amigas na prisão, embora nunca fossem nem mesmo se falar se não estivessem ali. é assim que eu e maura somos, acho.

eu: me dá um gole de café.
maura: compra uma porra de um café pra você.

então ela me entrega o cocôccino XXG do dunkin donuts e tomo tudo de um gole só. se pudesse pagar meu próprio café, juro que compraria, mas a maneira como vejo a coisa é: a bexiga dela não está pensando que sou um babaca, mesmo que o restante dos órgãos esteja. é assim comigo e maura, desde que me lembro, o que dá mais ou menos um ano. acho que a conheço há um pouco mais de tempo que isso, mas talvez não. em algum momento do ano passado, a melancolia dela encontrou minha desgraça, e maura achou que a combinação era boa. não tenho tanta certeza assim, mas, pelo menos me rende um café.

derek e simon estão se aproximando agora, o que é bom, porque isso vai me poupar algum tempo no almoço.

eu: me dá seu dever de casa de matemática.

simon: claro. aqui.

que amigo.

o primeiro sinal toca. como todos os sinais em nossa excelente instituição de ensino inferior, o sinal é um longo bipe, como se você estivesse prestes a deixar uma mensagem de voz dizendo que está tendo o dia mais escroto do mundo. e ninguém jamais vai ouvi-la.

não tenho a menor ideia do motivo por que alguém iria querer ser professor. isto é, você tem de passar o dia com um grupo de garotos que ou o odeiam profundamente ou puxam seu saco pra conseguir uma nota boa. isso deve afetar a pessoa depois de algum tempo — viver cercado por gente que nunca vai gostar de você por uma razão sincera. eu teria pena dessas pessoas, se elas não fossem umas sádicas e fracassadas. no que diz respeito aos sádicos, é tudo uma questão de poder e controle. eles ensinam pra ter uma razão oficial pra dominar outras pessoas. e os fracassados consistem em praticamente todos os outros professores, dos que são incompetentes demais pra fazer qualquer outra coisa aos que querem ser os melhores amigos dos alunos porque nunca tiveram amigos quando estavam na escola. e tem aqueles que sinceramente acreditam que vamos lembrar de alguma coisa que nos dizem depois que as provas finais acabarem. tá bom.

de vez em quando, a gente tem uma professora como a sra. grover, que é uma sádica fracassada. mas também não deve ser fácil ser professora de francês, porque, na real, ninguém mais precisa saber falar francês. e, enquanto ela beija os *derrières* dos alunos nota dez, quando se trata dos alunos normais, ela se ressente do fato de que estamos tomando seu tempo. então reage nos dando testes todos os dias e projetos gays como "desenhe sua própria atração para a euro disney" e então fingindo-se de toda surpresa quando digo: "sim, minha atração para a euro disney é a minnie usando uma baguete como vibrador para se divertir com o mickey." como não tenho a menor ideia de como dizer "vibrador" em francês (*vibrrradorrr?*), digo apenas "vibrador", ela finge não ter a menor ideia do que estou falando e diz que a minnie e o mickey comendo baguete não são uma atração. sem dúvida, ela me desconta um ponto naquele dia. sei que devia me importar, mas é realmente difícil imaginar alguma coisa com que eu pudesse me importar menos do que minha nota em francês.

a única coisa que faço, e que vale a pena em todos os tempos — a manhã toda, na verdade — é escrever *isaac, isaac, isaac* no meu caderno e então desenho o homem aranha escrevendo-o em uma teia. o que é totalmente idiota, mas que seja. não estou fazendo isso pra ser legal.

eu me sento com derek e simon no almoço. do jeito que nos comportamos, é como se estivéssemos em uma sala de espera. de vez em quando, dizemos alguma coisa, mas na maior parte do tempo nos limitamos ao espaço da nossa cadeira. às vezes lemos revistas. se alguém se aproxima, levantamos os olhos. mas isso não acontece com frequência.

ignoramos a maioria das pessoas que passam, mesmo aquelas que supostamente deveríamos desejar. não que derek e simon sejam muito de garotas. basicamente, eles gostam de computadores.

derek: você acha que o software X18 vai ser lançado antes das férias?

simon: li no blog do trustmaster que deve ser lançado, sim. seria legal.

eu: toma aqui o seu dever de casa de volta.

quando olho os caras e as garotas nas outras mesas, me pergunto o que possivelmente eles têm pra dizer uns aos outros. são todos tão chatos e estão todos tentando compensar isso falando alto. prefiro me sentar aqui e comer.

tenho esse ritual, que é quando dá duas horas e me permito ficar animado com a hora de ir embora. é tipo: se eu chegar a esse ponto posso ter o resto do dia de folga.

acontece na aula de matemática, e maura está sentada ao meu lado. em outubro ela descobriu esse meu ritual e assim, todos os dias às duas agora ela me passa um pedaço de papel com alguma coisa escrita. tipo "parabéns" ou "podemos ir agora?" ou "se essa aula não terminar logo, vou partir meu próprio crânio ao meio". eu sei que devia escrever de volta, mas na maioria das vezes faço um gesto com a cabeça. acho que ela quer sair comigo ou algo assim, e não sei o que fazer em relação a isso.

todo mundo na nossa escola tem atividades extraclasse.

a minha é ir pra casa.

às vezes, paro e ando de skate por um tempo no parque, mas não em fevereiro, não neste subúrbio frio-de-congelar-o-cu de chicago (conhecido pelos moradores como naperville). se eu for pra lá agora, vou congelar até os ovos. não que eu esteja usando os ditos-cujos pra alguma coisa, nada perto disso, mas ainda assim gosto de tê-los, por via das dúvidas.

além disso, tenho coisas melhores pra fazer do que ficar ouvindo o pessoal que largou a faculdade me dizer quando posso usar a rampa (que, em geral, é... nunca) e ver os skate-punks da nossa escola me olharem com desprezo porque não sou descolado o bastante pra fumar e beber com eles, nem descolado o bastante pra ser straight edge. não o bastante pra coisa nenhuma no que diz respeito a eles. parei de tentar fazer parte desse grupo fechado que-não-admite-que-é-um-grupo-fechado quando terminei o nono ano. afinal, não é como se o skate fosse a minha vida nem nada.

gosto de ter a casa só pra mim depois da escola. não preciso ficar me sentindo culpado por ignorar minha mãe quando ela não está por perto.

primeiro, ligo o computador pra ver se isaac está on-line. não está, então preparo um sanduíche de queijo (sou muito preguiçoso pra fazer queijo-quente) e toco uma punheta. isso leva uns dez minutos, não que eu esteja cronometrando.

isaac ainda não está on-line quando volto. ele é a única pessoa na minha "buddy list", que é a porra do nome mais idiota pra uma lista de amigos. significa "lista de amigui-nhos" — o que somos, crianças de 3 anos?

eu: oi, isaac, quer ser meu amiguinho!?

isaac: claro, amiguinho! vamos *brincar*!

isaac sabe o quanto acho essas coisas idiotas, e ele também acha. como o termo lol. olha, se existe alguma coisa mais idiota que *buddy lists*, é lol. se alguém usar lol comigo, eu arranco o computador da parede e o acerto na cabeça mais próxima. afinal, as pessoas não estão *laughing out loud*, ou seja, rindo alto das coisas para as quais elas põem lol. eu acho que deviam escrever loló, que é o que parece que essas pessoas andaram cheirando já que não conseguem mais pensar.

ou ttyl [*talk to you later* — falo com você mais tarde]. você não está falando de verdade, sua vaca. pra isso, seria preciso fazer *contato vocal* de verdade. ou <3. você acha que isso parece um coração? se sim, é porque nunca viu um escroto.

(rofl [*rolling on the floor laughing*]! o quê? você está mesmo rolando no chão de tanto rir? bem, então por favor fique aí deitado um instante enquanto EU DOU UM PÉ NA TUA BUNDA.)

tive de dizer a maura que minha mãe me obrigou a cancelar meu instant messenger pra que ela parasse de entrar todas as vezes que eu estava tentando fazer alguma coisa.

sanguegotico4567: coé?

finalwill: trabalhando.

sanguegotico4567: em quê?

finalwill: meu bilhete de suicídio. não consigo decidir como terminar.

sanguegoticod4567: lol

assim, matei meu nome de usuário e ressuscitei com outro. isaac é a única pessoa que o conhece, e vai continuar assim.

verifico meu e-mail e é quase tudo spam. o que eu quero saber é o seguinte: existe mesmo alguém no mundo todo que recebe um e-mail de hlyywkrrs@hothotmail.com, lê e diz pra si mesmo: "sabe, o que eu preciso mesmo é aumentar meu pênis em 33%, e a maneira de fazer isso é enviar $ 69,99 àquela simpática senhora ilena da VIRILIDADE MÁXIMA CORP através deste conveniente link da internet!"? se as pessoas caem mesmo nessa, não é com o pau que deviam estar preocupadas.

tenho uma solicitação de amizade de um estranho no facebook e a deleto sem nem olhar o perfil, porque tal coisa não me parece natural. porque a amizade não deve ser tão fácil assim. é como se as pessoas acreditassem que tudo que você precisa para serem almas gêmeas é gostar das mesmas bandas. ou livros. *omg... vc gosta de outsiders 2... é como se fôssemos a mesma pessoa!* não, não somos. é como se tivéssemos o mesmo professor de inglês. é diferente.

são quase quatro horas e isaac costuma estar on-line a essa hora. faço aquela coisa idiota da recompensa com meu dever de casa — é assim: *se eu procurar a data em que os maias inventaram o palito de dentes, posso verificar se isaac já está on-line.* depois, *se eu ler mais três parágrafos sobre a importância da cerâmica nas culturas indígenas, posso verificar minha conta do yahoo.* E, finalmente, *se eu terminar de responder essas três perguntas e isaac ainda não estiver on-line, então posso tocar outra punheta.*

estou ainda na metade da resposta da primeira pergunta, uma besteira sobre por que as pirâmides maias são *tão mais legais* que as egípcias, quando trapaceio, olho minha lista de amigos e vejo o nome de isaac ali. estou prestes a pensar *por que ele não me mandou uma mensagem?* quando a caixa aparece na tela como se ele tivesse lido minha mente.

amarradopelopai: vc está aí?

grayscale: sim!

amarradopelopai: ☺

grayscale: ☺ x 100

amarradopelopai: pensei em você o dia todo

grayscale: ???

amarradopelopai: só coisas boas

grayscale: isso é muito mau ☺

amarradopelopai: depende do que você considera bom ☺☺

é assim desde o começo. ficando cada vez mais agradável. fiquei um pouco assustado no início com o nome de usuário dele, mas rapidamente ele me contou que era porque o nome dele era isaac, e nofimmeupaisacrificouocordeiroenaoamim era longo demais pra ser um bom nome de usuário. ele me perguntou sobre meu antigo nome, finalwill e contei que meu nome era will, e foi assim que começamos a nos conhecer. estávamos em uma daquelas salas de bate-papo entediantes onde se fica em completo silêncio a cada dez segundos até alguém escrever "alguém aí?" e outras pessoas respondem "sim" "ok" "aqui!", sem dizer coisa nenhuma.

estávamos supostamente em um fórum sobre um cantor de quem eu gostava, mas não havia muito a dizer sobre ele, exceto quais músicas eram melhores que outras. era realmente chato, mas foi assim que isaac e eu nos conhecemos, então acho que vamos ter de contratar o cantor pra tocar em nosso casamento ou algo assim. (isso não tem nenhuma graça.)

logo estávamos trocando fotos e mp3s, e falando sobre como tudo é uma merda, mas é claro que a ironia estava no fato de que enquanto falávamos sobre isso o mundo não era assim tão merda. exceto, naturalmente, pela parte final, quando tínhamos de voltar ao mundo real.

é tão injusto ele morar em ohio, porque isso não devia ser assim tão longe, mas, como nenhum de nós dirige e nenhum de nós nem em um milhão de anos diria: "ei, mãe, não quer me levar até o outro lado de indiana pra eu encontrar um garoto?", estamos num beco sem saída.

grayscale: estou lendo sobre os maias.

amarradopelopai: angelou?

grayscale: ???

amarradopelopai: deixa pra lá. pulamos os maias. agora só estudamos história "americana".

grayscale: mas eles não viveram nas américas?

amarradopelopai: não, segundo a minha escola. **gemidos**

grayscale: então, quem você quase matou hoje?

grayscale: e com "matar" quero dizer "quis que desaparecesse", no caso de essa conversa estar sendo monitorada por administradores...

amarradopelopai: contagem de corpos potencial em 11. doze, se você incluir o gato.

grayscale: ... ou pela segurança interna

grayscale: maldito gato!

amarradopelopai: maldito gato!

não contei a ninguém sobre isaac, porque ninguém tem nada com isso. adoro que ele saiba quem todo mundo é, mas que ninguém saiba quem ele é. se eu tivesse amigos de verdade com quem achasse que podia falar, isso poderia causar algum conflito. mas como agora bastaria um único carro pra levar as pessoas ao meu enterro, acho que está tudo bem.

algum tempo depois, isaac precisa sair, porque ele não pode usar o computador na loja de música onde trabalha. sorte minha que não parece ser uma loja muito movimentada, e que o chefe dele seja um traficante de drogas ou algo do gênero já que está sempre deixando isaac responsável pela loja enquanto sai pra "encontrar umas pessoas"

eu me afasto do computador e termino o dever de casa rapidamente. então posso ir pra sala de tv e ligar em law & order, pois a única coisa certa mesmo nessa vida é que sempre que eu ligar a tv haverá um episódio de law & order. desta vez é o do cara que estrangula uma loura atrás da outra, e embora eu tenha certeza de já ter visto aquilo umas dez vezes, fico assistindo como se não soubesse que a repórter bonita com quem ele está falando está prestes a ter o cordão da cortina enrolado no pescoço. não assisto a essa parte, porque é muito idiota, mas assim que a polícia pega o cara e o julgamento começa, o negócio fica tipo:

promotor: cara, o cordão tirou esse pedacinho microscópico de pele da sua mão enquanto você a estrangulava, e nós o examinamos no microscópio e descobrimos que você está totalmente fodido.

você tem de saber que ele gostaria de ter usado luvas, embora elas provavelmente teriam deixado fibras, e ele estaria totalmente fodido de qualquer jeito. quando tudo isso acaba, vem outro episódio que eu não acho que tenha visto antes, até que uma celebridade atropela um bebê com sua Hummer, e eu penso: ah, é aquele em que a celebridade atropela o bebê com a Hummer. assisto de qualquer forma, porque não tenho nada melhor pra fazer. então mamãe chega em casa e me encontra lá, e é como se fôssemos uma reprise também.

mãe: como foi o seu dia?
eu: mãe, estou assistindo tv
mãe: você vai estar pronto para o jantar em 15 minutos?
eu: *mãe*, estou assistindo tv!
mãe: bem, arrume a mesa no intervalo
eu: TÁ BOM

simplesmente não entendo isso — existe coisa mais chata e patética que pôr a mesa quando só tem duas pessoas? quero dizer, com jogo americano e garfos pra salada e tudo. quem ela está enganando? eu daria qualquer coisa pra não ter de passar os próximos vinte minutos sentado na frente dela, uma pessoa que não acredita em deixar o silêncio reinar. não, ela tem de preenchê-lo com conversa. tenho vontade de dizer a ela que é pra isso que servem as vozes na cabeça da gente, pra ajudar a passar por todas as partes silenciosas. mas ela não quer ficar com seus pensamentos, a menos que os diga em voz alta.

mãe: se eu tiver sorte esta noite, talvez a gente tenha mais uns dólares pra poupança do carro.

eu: você não precisa fazer isso.

mãe: não seja bobo. é um motivo pra eu ir à noite do pôquer das garotas.

queria mesmo que ela parasse com isso. ela se sente pior que eu com o fato de eu não ter um carro. quer dizer, não sou um daqueles imbecis que acredita que assim que se faz 17 anos é um direito dado por deus aos americanos ter um chevrolet novinho em folha na entrada da garagem. sei qual é a nossa situação, e sei que ela não gosta que eu tenha de trabalhar numa farmácia nos fins de semana para pagar as coisas que precisamos comprar na própria farmácia. vê-la constantemente triste com isso não faz com que eu me sinta melhor. e, é claro, há outra razão pra ela ir jogar pôquer além do dinheiro. ela precisa de mais amigos.

ela me pergunta se tomei meu remédio antes de sair correndo de manhã e digo, sim, caso contrário, eu não estaria me afogando na banheira? ela não gosta disso, então digo "brincadeirinha, brincadeirinha" e faço uma anotação mental de que as mães não são o melhor público pra piadas sobre remédios. decido não comprar pra ela o suéter de *melhor mãe do mundo de um bosta depressivo* no dia das mães como vinha planejando. (ok, na verdade não existe um suéter assim, mas, se existisse, teria gatinhos nele, colocando meias nas patas.)

a verdade é que pensar em depressão me deprime horrores, então volto pra sala de tv e assisto a mais law & order. isaac nunca volta ao computador antes das oito, então espero até lá. maura me liga, mas não tenho energia pra dizer nada exceto o que está acontecendo em law & order, e ela odeia quando faço isso. então deixo o correio de voz atender.

eu: aqui é o will. qual é o motivo dessa porra de ligação? deixe uma mensagem e talvez eu te ligue de volta. [BIPE]

maura: ei, perdedor. estou tão entediada que estou te ligando. pensei que, se você não estivesse fazendo nada, eu poderia gerar seus filhos. bem... sendo assim, acho que vou ligar pra josé e pedir a ele que me coma na manjedoura e conceba outra criança santa.

quando me dou ao trabalho de ouvir são quase oito. e, mesmo assim, não me dou ao trabalho de ligar de volta pra ela. temos essa coisa em relação a ligar de volta pro outro; o que significa não fazer muito isso. em vez de ligar, sigo pro computador e é como se eu me transformasse em uma garotinha que vê seu primeiro arco-íris. fico todo animado e nervoso, cheio de esperança e desesperado, e digo a mim mesmo pra não ficar olhando obsessivamente a lista de amigos, mas parece que ela se projeta na parte interna das minhas pálpebras. às 20h05 o nome dele aparece e eu começo a contar. chego apenas ao 12 antes que a mensagem dele surja na tela.

amarradopelopai: meus cumprimentos!

grayscale: e saudações!

amarradopelopai: muito feliz por vc estar aqui.

grayscale: muito feliz por estar aqui

amarradopelopai: trabalho hoje = o dia! mais entediante! de todos os tempos! uma garota tentou furtar e não foi nem um pouco sutil. eu costumava ter alguma simpatia por ladrões de lojas

amarradopelopai: mas agora só quero vê-los atrás das grades. disse a ela para devolver o objeto e ela reagiu toda do tipo: "colocar o que de volta?" até eu meter a mão no bolso dela e pegar o disco. e o que ela disse então? "ah"

grayscale: nem mesmo "desculpa"?

amarradopelopai: nem isso.

grayscale: garotas são um saco.

amarradopelopai: e os garotos são uns anjos? ☺

seguimos assim por cerca de uma hora. queria que pudéssemos falar pelo telefone, mas os pais dele não deixam que ele tenha um celular, e sei que minha mãe às vezes checa as minhas chamadas quando estou no banho. mas isso é legal. é a única parte do meu dia em que o tempo parece valer.

passamos nossos costumeiros dez minutos nos despedindo.

amarradopelopai: preciso mesmo ir.

grayscale: eu também.

amarradopelopai: mas não quero.

grayscale: nem eu.

amarradopelopai: amanhã?

grayscale: amanhã!

amarradopelopai: eu quero você.

grayscale: quero você também.

isso **é perigoso**, pois como regra não me permito querer coisas. muitas vezes quando eu era criança, juntava as mãos ou fechava os olhos bem apertado e me dedicava a esperar por alguma coisa. eu até achava que havia alguns lugares no meu quarto que eram melhores pra pedir que outros — debaixo da cama era ok, mas na cama não era; o fundo do armário servia, desde que a caixa de sapatos com cartões de beisebol estivesse no meu colo. nunca, jamais na minha mesa, mas sempre com a gaveta de meias aberta. ninguém tinha me dito essas regras — eu as havia descoberto sozinho. podia passar horas nutrindo um desejo particular — e toda vez deparava com um gigantesco muro de total indiferença. fosse pra desejar um hamster de estimação ou pra que minha mãe parasse de chorar — a gaveta de meias estaria aberta, e eu estaria sentado atrás do meu baú de brinquedos com três bonecos em uma das mãos e uma miniatura de carro na outra. nunca esperava que tudo ficasse melhor — apenas que uma única coisa melhorasse. e nunca funcionou. assim, finalmente, desisti. eu desisto todo santo dia.

mas não com isaac. às vezes isso me assusta. desejar que dê certo.

mais tarde naquela noite recebo um e-mail dele.

tenho a sensação de que minha vida está muito dispersa neste momento. como se fosse um monte de pedacinhos de papel e alguém ligasse o ventilador. mas falar com você me faz sentir como se o ventilador tivesse sido desligado por um tempo. como se as coisas pudessem de fato fazer algum sentido. você junta todos os meus pedacinhos, e sou muito grato por isso.

DEUS, ESTOU TÃO APAIXONADO.

capítulo três

Nada acontece por uma semana. Não digo isso no sentido figurado, como se houvesse uma escassez de eventos significativos. Quero dizer que não acontece absolutamente nada mesmo. Estagnação total. É um pouco como um paraíso, pra dizer a verdade.

Tem a coisa de levantar, tomar banho e ir pra escola, e o milagre de Tiny Cooper ao sentar na carteira, e o olhar melancólico pro meu relógio tipo Ônibus Escolar Mágico do Lanche Feliz do Burger King durante cada aula, e o alívio do sinal do oitavo tempo, e o ônibus pra casa, e o dever de casa, e o jantar, e os pais, e a porta trancada, e a música boa, e o Facebook, e a leitura das atualizações de status das pessoas sem atualizar o meu próprio status porque minha política de boca calada se estende à comunicação textual, e depois tem a cama e a coisa de levantar, o chuveiro e a escola outra vez. Isso não me incomoda. No que diz respeito à vida, prefiro o silenciosamente desesperado ao radicalmente bipolar.

E então na noite de quinta-feira vou pra casa, Tiny me liga e alguma coisa começa a acontecer. Eu digo alô e aí Tiny, a título de introdução, diz:

— Você devia ir ao encontro da Aliança Gay-Hétero de amanhã.

E eu respondo:

— Nada pessoal, Tiny, mas não sou muito de alianças. De qualquer forma, você conhece minha política sobre atividades extracurriculares.

— Não, não conheço — retruca Tiny.

— Bem, sou contra elas — digo. — Só as atividades curriculares já são suficientes. Ouça, Tiny, preciso desligar. Minha mãe está na outra linha. — Desligo. Minha mãe não está na outra linha, mas eu preciso desligar, porque não aguento ser persuadido a nada.

Mas Tiny liga de novo. E diz:

— Na verdade, eu *preciso* que você vá porque temos de aumentar nosso número de associados. O financiamento repassado pela escola é parcialmente decidido pela quantidade de pessoas que frequentam as reuniões.

— Por que você precisa do dinheiro da escola? Você tem sua própria *casa*.

— Precisamos de dinheiro pra montar nossa produção de *Tiny Dancer*.

— Ai. Meu. Deus. Misericordioso — digo, porque *Tiny Dancer* é um musical escrito por Tiny.

É basicamente a história da vida de Tiny levemente dramatizada, só que cantada, e é — e eu não uso esse adjetivo levianamente — o musical mais gay de toda a história da humanidade. O que não quer dizer que ele seja ruim. Só estou dizendo que é gay. Na verdade — até onde é possível com musicais — é bastante bom. As músicas ficam na cabeça. Gosto particularmente de "Quem tá na linha de frente (gosta que ataquem por trás)", que inclui os memoráveis versos: "No vestiário nem dá pra tirar casquinha / porque vocês têm a cara cheia de espinha."

— *O quê?* — geme Tiny.

— Só estou preocupado que isso possa ser, hã... — O que foi que Gary disse no outro dia... — "Ruim para a causa" — afirmo.

— Esse é *exatamente* o tipo de coisa que você pode dizer amanhã! — responde Tiny, com um leve traço de decepção na voz.

— Eu vou — digo, e desligo.

Ele torna a ligar, mas não atendo, pois estou no Facebook, olhando o perfil de Tiny, correndo os olhos pelos seus 1.532 amigos, cada um mais bonito e estiloso que o outro. Estou tentando descobrir quem, precisamente, *faz parte* da Aliança Gay-Hétero, e se poderiam se tornar um Grupo de Amigos convenientemente não irritante. Até aqui, pelo que posso ver, porém, são apenas Gary, Nick e Jane. Estou examinando atentamente a minúscula foto do perfil de Jane, na qual ela parece segurar uma espécie de mascote em tamanho natural com patins de gelo.

E, nesse exato momento, recebo uma solicitação de amizade dela. Poucos segundos depois de eu aceitar, ela me manda uma mensagem.

Jane: Oi!
Eu: Oi.
Jane: Desculpe, esse deve ter sido um uso de exclamação inadequado.
Eu: Rá. Tudo bem.

Olho o perfil dela. A lista de músicas e livros favoritos é obscenamente longa, e eu só consigo percorrer a letra A da lista de músicas antes de desistir. Ela está bonita nas fotos, mas não tanto quanto na vida real — o sorriso nas fotos não é o dela.

Jane: Soube que Tiny está recrutando você para a AGH.
Eu: De fato.
Jane: Você devia ir. Precisamos de associados. É meio patético, na verdade.
Eu: É, acho que vou.
Jane: Legal. Não sabia que você tinha Facebook. Seu perfil é engraçado. Gostei de "ATIVIDADES: precisam envolver óculos de sol".
Eu: Você tem mais bandas favoritas do que Tiny tem ex-namorados.
Jane: É, bem. Algumas pessoas têm vida; outras têm música.
Eu: E algumas não têm nenhuma das duas.
Jane: Anime-se, Will. Você está prestes a ser o hétero mais bonito na Aliança Gay-Hétero.

Tenho a nítida impressão de que está rolando um clima. Assim, não me entenda mal. Eu gosto de flertar como qualquer um, desde que seja qualquer um que tenha visto repetidamente seu melhor amigo ser dilacerado pelo amor. Mas nada viola as regras de calar a boca e não se importar o suficiente para flertar — exceto possivelmente aquele momento encantadoramente horrível em que você age depois do flerte, o momento em que você sela seu coração partido com um beijo. Deveria haver uma terceira regra, na verdade: 1. Cale a boca. 2. Não ligue muito pra nada. E 3. Nunca beije uma garota de quem você gosta.

Eu, depois de um tempo: Quantos caras héteros tem na AGH?
Jane: Você.

Eu escrevo lol, e me sinto um tolo de sequer pensar nela como flerte. Jane é só uma garota inteligente e crítica com cabelos enrolados demais.

E então fica assim: às 15h30 da tarde seguinte, o sinal do oitavo tempo toca e, por um nanossegundo, sinto fervilhando pelo meu corpo as endorfinas que em geral indicam que sobrevivi com êxito a mais um dia de aula sem que nada acontecesse, mas aí eu lembro: o dia ainda não acabou.

Marcho para o andar de cima enquanto um mundo de gente desce a escada correndo, a caminho do fim de semana.

Chego à sala 204A. Abro a porta. Jane está de costas pra mim sentada numa carteira e com os pés na cadeira. Veste uma camiseta amarelo-clara e, do modo como está inclinada, posso ver um pouco da lombar dela.

Tiny Cooper está esparramado no carpete fino, usando a mochila como travesseiro. Está usando um jeans skinny, que mais parecem invólucros jeans para salsicha. Nesse momento, a Aliança Gay-Hétero consiste em nós três.

— Grayson! — exclama Tiny.

— Este é o Clube Homossexualidade É Uma Abominação, certo?

Tiny ri. Jane apenas continua sentada de costas pra mim, lendo. Meus olhos se dirigem às costas dela, já que têm de ir a algum lugar, e Tiny diz:

— Grayson, você está desistindo da sua assexualidade?

Jane se vira no momento em que lanço um olhar pra Tiny e murmuro:

— Não sou assexuado. Sou arrelacionamental.

E Tiny diz a Jane:

— É uma tragédia, não é? A única coisa que Grayson tem a seu favor é que é uma graça, e, no entanto, ele se recusa a namorar.

Tiny gosta de me arrumar garotas. Ele faz isso pelo simples e puro prazer de me irritar. E funciona.

— Cale a boca, Tiny.

— Eu simplesmente não consigo entender — continua ele. — Nada pessoal, Grayson, mas você não faz o meu tipo, porque: A. Você não presta muita atenção à *higiene*, e B. Tudo que você tem a seu favor é o que acho totalmente desinteressante. Quero dizer, Jane, acho que podemos concordar que Grayson tem belos braços.

Jane parece ligeiramente em pânico, e corro pra salvá-la de precisar falar.

— Você tem a maneira mais estranha de dar em cima de mim, Tiny.

— Eu jamais daria em cima de você, porque você não é gay. E, assim, garotos que gostam de garotas são, por natureza, sem graça. Por que gostar de alguém que não pode retribuir o seu amor?

A pergunta é retórica, mas, se eu não estivesse tentando ficar calado, responderia: Você gosta de alguém que não pode retribuir o seu amor porque é possível sobreviver ao amor não correspondido de uma forma impossível no caso do amor uma vez correspondido.

Um momento depois, Tiny diz:

— As garotas héteros acham que ele é uma gracinha, é só isso que estou dizendo.

E então me dou conta de toda a extensão da insanidade. Tiny Cooper me trouxe para a Aliança Gay-Hétero para me arrumar uma namorada.

O que é naturalmente idiota naquele sentido profundo e múltiplo que somente um professor poderia elucidar completamente. Pelo menos Tiny acaba calando a boca, e imediatamente começo a olhar meu relógio e me perguntar se é isso que acontece em uma reunião da AGH — talvez nós três apenas fiquemos aqui sentados em silêncio por uma hora enquanto Tiny Cooper periodicamente torna o ambiente toxicamente desconfortável com seus comentários nada sutis, e então, no fim, daremos um abraço coletivo e gritaremos VIVAM OS GAYS! ou algo do gênero. Mas então Gary e Nick chegam com uns caras que reconheço vagamente, uma garota com um corte de cabelo joãozinho vestindo uma camiseta gigantesca do Rancid que chega quase aos joelhos dela, e um professor de inglês, o Sr. Fortson, que nunca me deu aula, o que talvez explique o porquê de ele estar sorrindo pra mim.

— Sr. Grayson — diz o Sr. Fortson —, é um prazer tê-lo aqui. Gostei da sua carta para o editor de algumas semanas atrás.

— O maior erro da minha vida — conto a ele.

— Mas por quê?

Tiny Cooper intervém.

— É uma longa história que diz respeito a calar a boca e não se importar com nada.

Eu apenas concordo com a cabeça.

— Ah, meu Deus, Grayson — sussurra Tiny em tom audível a todos. — Eu te contei o que Nick me disse?

Estou pensando *nick, nick, nick, quem diabos é nick*? E então olho pra Nick, que não está sentado perto de Gary, o que é a Pista A. Além disso, ele está com a cabeça enterrada nos braços, o que é a Pista B.

Tiny diz:

— Ele disse que consegue se imaginar comigo. Com essas palavras: consigo me imaginar com você. Isso não é a coisa mais fantástica que você já ouviu?

Pela inflexão de Tiny, não sei dizer se a coisa é fantasticamente hilária ou fantasticamente maravilhosa, então simplesmente dou de ombros

Nick suspira, a cabeça apoiada na carteira, e murmura.

— Tiny, agora não.

Gary corre os dedos pelo cabelo e suspira.

— Toda essa sua libertinagem é ruim para a causa.

O Sr. Fortson põe ordem na reunião com um martelo Um martelo de verdade. Pobre coitado. Imagino que lá na faculdade ou o que fosse, ele não sonhava que o uso do martelo seria necessário em sua carreira no magistério.

— Muito bem, então temos oito pessoas hoje. Isto é ótimo, rapazes. Creio que o primeiro ponto na pauta do dia seja o musical de Tiny, *Tiny Dancer*. Precisamos decidir se pedimos à administração que financie a peça ou se preferimos nos concentrar em outras coisas: educação, conscientização etc.

Tiny se apruma na cadeira e anuncia:

— *Tiny Dancer é* sobre educação *e* conscientização.

— Certo — diz Gary, sarcástico. — Educar e conscientizar a todos sobre Tiny Cooper.

Os dois caras sentados com Gary riem, e, sem pensar duas vezes, digo: "Ei, não seja idiota, Gary", porque não posso evitar de ir em defesa de Tiny.

Jane diz:

— Olha, as pessoas vão sacanear a peça? Sem a menor sombra de dúvida. Mas ela é honesta. É engraçada, e justa, e não é cheia de bobagens. Mostra os gays como pessoas completas e complicadas; e não apenas como "ah, meu Deus, preciso dizer pro meu pai que eu gosto de meninos e ai-ai é tão difícil".

Gary revira os olhos e solta o ar pelos lábios fechados como se estivesse fumando.

— Aham. Você sabe como é difícil — diz ele a Jane —, já que você é... Ei, peraí. Ah, sim. Você *não é gay.*

— Isso é irrelevante — responde Jane.

Olho pra Jane, que está fuzilando Gary com o olhar no momento em que o Sr. Fortson começa a falar sobre não se poder ter Alianças dentro da Aliança caso contrário não haverá uma Aliança abrangente. Estou me perguntando quantas vezes ele será capaz de usar a palavra *aliança* em uma frase quando Tiny Cooper interrompe o Sr. Fortson, dizendo:

— Ei, calma, Jane, você é hétero?

E ela faz que sim sem levantar a cabeça e murmura:

— Quero dizer, acho que sim.

— Você devia sair com o Grayson — diz Tiny. — Ele te acha supergata.

Se eu subisse em uma balança totalmente vestido, encharcado, segurando pesos de cinco quilos em cada mão e equilibrando uma pilha de livros de capa dura na cabeça, pesaria mais de 80 quilos, o que equivale aproximadamente ao peso do tríceps esquerdo de Tiny Cooper. Mas, nesse momento, eu seria capaz de espancá-lo até a morte. E é o que eu faria, juro por Deus, não fosse o fato de estar ocupado demais tentando desaparecer.

Estou aqui pensando: *Deus, juro que vou fazer um voto de silêncio e me mudar pra um mosteiro e venerar o senhor por todos os meus dias se, desta única vez, o senhor me proporcionar um manto de invisibilidade; vamos, vamos, por favor por favor, manto de invisibilidade agora, agora, agora.* É muito possível que Jane esteja pensando a mesma coisa, mas não faço a menor ideia, porque ela também não está falando nada e não consigo olhar pra ela por estar cego de vergonha.

A reunião dura mais trinta minutos, durante os quais não falo, nem me mexo, nem respondo a nenhum tipo de estímulo. Entendo que Nick faz com que Gary e Tiny meio que façam as pazes, e a aliança concorda em buscar dinheiro tanto pra *Tiny Dancer* quanto para uma série de folhetos com propósito educacional. Rola mais alguma conversa, mas não volto a ouvir a voz de Jane.

E então a coisa chega ao fim, e com minha visão periférica vejo todos saindo, mas eu fico ali parado. Na última meia hora, reuni numa lista mental aproximadamente 412 maneiras de matar Tiny Cooper, e não vou sair da sala até ter resolvido qual a melhor. Finalmente, decido que simplesmente vou apunhalá-lo mil vezes com uma caneta esferográfica. No estilo presídio. Me levanto com a postura perfeita e saio. Tiny Cooper está encostado em uma fileira de armários, à minha espera.

— Ouça, Grayson — diz, e eu vou até ele e o agarro pela camisa polo, e, na ponta dos pés, com meus olhos na altura do pomo de adão dele, digo:

— Essa foi a pior de todas as coisas miseráveis que você já fez, seu boqueteiro.

Tiny ri, o que só me deixa com mais raiva, e diz:

— Você não pode me chamar de boqueteiro, Grayson, porque: A. Isso não é um insulto, e B. Você sabe que não sou. Ainda. Infelizmente.

Solto a camisa dele. Não tem como intimidar Tiny fisicamente.

— Bem, que seja — respondo. — Seu merda. Babaca. Xoxoteiro.

— *Isso* sim é um insulto — diz ele. — Mas ouça, cara. Ela gosta de você. Quando saiu agora, veio até mim e perguntou: "Você estava falando sério ou estava só brincando?", e eu falei: "Por que a pergunta?", e ela respondeu: "Bem, ele é legal, só isso", e então eu disse que não era brincadeira e ela riu toda boba.

— Sério?

— Sério.

Respiro fundo e devagar.

— Isso é *péssimo*. Eu não estou interessado nela, Tiny.

Ele revira os olhos.

— E você acha que *eu* sou maluco? Ela é adorável. Eu aca-. bo de total fazer sua vida!

Percebo que isso não é, assim, coisa de garoto. Percebo que os caras propriamente ditos deviam pensar só em sexo e em como consegui-lo, e que deviam correr com a pélvis apontada na direção de toda garota que gosta deles etc. Mas: a parte que eu mais gosto não é fazer, e sim notar. Notar que ela cheira a café muito doce, e a diferença entre o sorriso dela e o sorriso das fotos, e a forma como ela morde o lábio inferior, e a pele pálida de suas costas. Eu só quero o prazer de notar essas coisas a uma distância segura — não quero ter de reconhecer que estou notando. Não quero ter de *falar* nisso ou *fazer alguma coisa* em relação a isso.

E eu, de fato, pensei nisso quando estávamos lá com Tiny inconsciente e se afogando em meleca aos nossos pés. Pensei em saltar sobre o gigante caído e beijá-la, e na minha mão em seu rosto e no seu hálito improvavelmente quente, e sobre ter uma namorada que se irritasse comigo por eu ser tão quieto e então eu ficando mais quieto ainda porque o que eu gostava era de um sorriso com um leviatã adormecido entre nós, e aí me sinto um lixo por um tempo até finalmente terminarmos, e nesse ponto reafirmo meu voto de viver segundo as regras.

Eu poderia fazer isso.

Ou poderia apenas viver segundo as regras.

— Acredite em mim — digo a ele. — Você não está melhorando minha vida. Pare de interferir, ok?

Ele responde dando de ombros, o que tomo como um gesto de concordância.

— Então, ouça — diz Tiny —, sobre Nick. O negócio é que ele e Gary ficaram juntos por muito tempo e, assim, eles terminaram só ontem, mas tem realmente alguma coisa entre nós.

— Ideia incrivelmente péssima — falo.

— Mas eles terminaram — insiste Tiny.

— Certo, mas o que aconteceria se alguém terminasse com você e então no dia seguinte flertasse com um amigo seu?

— Vou pensar nisso — diz Tiny, mas sei que ele não pode se conter para evitar mais um breve e fracassado romance. — Ah, ei. — Tiny se anima. — Você devia ir conosco para a Storage Room na sexta. Nick e eu vamos ver essa banda, a, hum... Maybe Dead Cats. Pop punk intelectual. Tipo a Dead Milkmen, só que menos engraçados rá-rá.

— Obrigado por me convidar antes — agradeço, dando uma cotovelada em Tiny.

Ele me empurra, brincando, e eu quase caio da escada. É como ser o melhor amigo de um gigante de conto de fadas: Tiny Cooper não consegue evitar te machucar.

— Só pensei que você não gostaria de ir depois do desastre da semana passada.

— Ah, espere, não posso. O Storage Room é para maiores de 21.

Tiny Cooper, andando na minha frente, alcança a porta. Empurra o quadril contra a barra de metal e a mesma se abre. O lado de fora. O fim de semana. A luz viva de Chicago. O ar frio me envolve, a luz está mudando rapidamente, e a silhueta de Tiny Cooper é destacada contra o sol poente, de modo que mal posso vê-lo quando ele se vira pra mim e pega o celular.

— Para quem você está ligando? — pergunto, mas Tiny não responde.

Simplesmente segura o aparelho na mão gigantesca e robusta, e diz: "Ei, Jane", e meus olhos se arregalam, e faço o movimento de cortar a garganta para Tiny que sorri e diz: "Olhe, Grayson quer ir com a gente ao Maybe Dead Cats na sexta. Que tal um jantar primeiro?"

"..."

"Bem, o único problema é que ele não tem identidade. Você não conhece um cara?"

"..."

"Você ainda não chegou em casa, não é? Então volte e venha tirar a bunda magra dele daqui." Tiny desliga e me diz: "Ela está vindo pra cá", e então fico parado na porta enquanto Tiny dispara escada abaixo e começa a saltitar — isso mesmo, saltitar — na direção do estacionamento do terceiro ano. "Tiny!", grito, mas ele não se vira; continua saltitando. Eu não começo a saltitar atrás do rabo ensandecido dele ou coisa do tipo, mas meio que sorrio. Ele pode ser um feiticeiro malévolo, mas Tiny Cooper não está nem aí pros outros, e se ele quer ser um gigante saltitante, então é seu direito como americano enorme.

Suponho que não possa largar Jane lá, então estou sentado nos degraus da frente quando ela aparece dois minutos depois atrás do volante de um Volvo antigo, pintado à mão de laranja. Eu já vi o carro antes no estacionamento — não dá pra não notá-lo —, mas nunca associei o automóvel a Jane. Ela parece mais discreta do que o mesmo sugere. Desço os degraus, abro a porta do carona e entro, pisando numa pilha de embalagens de fast-food.

— Desculpe. Eu sei que é nojento.

— Não se preocupe — digo. Essa seria a hora certa pra fazer uma piada, mas fico pensando *cale a boca, cale a boca, cale a boca*. Após algum tempo o silêncio fica muito estranho, então pergunto:

— Você conhece essa banda, os hã... Maybe Dead Cats?

— Conheço. Eles não são ruins. São meio que uma versão pobre da Mr. T Experience nos primeiros tempos, mas têm uma música que gosto; ela tem uns 55 segundos de duração e se chama "Annus Miribalis", e basicamente explica a teoria da relatividade de Einstein.

— Legal — digo. Ela sorri, engata a marcha, e partimos num solavanco pra cidade.

Um minuto depois mais ou menos, encontramos uma placa de pare, e Jane encosta num dos lados da estrada e me olha.

— Eu sou muito tímida — diz ela.

— Hein?

— Eu sou muito tímida, então entendo. Mas não se esconda atrás de Tiny.

— Não estou me escondendo — retruco.

E então ela passa por baixo do cinto de segurança e eu me pergunto por que ela está fazendo isso, e aí ela se debruça sobre o câmbio, e eu me dou conta do que está acontecendo, e ela fecha os olhos, inclina a cabeça, e eu me afasto, olhando pras sacolas de fast-food no chão do carro dela. Jane abre os olhos e volta pra trás com um solavanco. Então começo a falar pra preencher o silêncio.

— Eu não, hã, eu acho você incrível e bonita, mas eu não, assim, eu não, assim, eu acho que na verdade não, hã, não quero um relacionamento agora.

Após um instante, muito baixinho, ela diz:

— Acho que devo ter recebido informações não confiáveis.

— É possível — concordo.

— Sinto muito.

— Eu também. Quero dizer, você é mesmo...

— Não, não, não, pare, isso só piora as coisas. Ok. Ok. Olhe pra mim.

Olho para ela, que diz:

— Eu posso esquecer completamente que isto aconteceu se, e somente se, você puder esquecer completamente que isto aconteceu.

— Nada aconteceu — falo, e reafirmo: — Não aconteceu nada.

— Exatamente — diz ela, e então nossa parada de 32 segundos na placa de pare chega ao fim, e minha cabeça é lançada de encontro ao assento. Jane dirige do mesmo jeito que Tiny namora.

Estamos saindo da Lake Shore perto do centro da cidade, falando sobre o Neutral Milk Hotel, sobre a possibilidade de existir alguma gravação por aí que ninguém tenha ouvido, apenas demos, e como seria interessante ouvir como as músicas deles eram antes de se tornarem músicas, e, quem sabe, se poderíamos arrombar o estúdio de gravação deles e copiar cada momento gravado da existência da banda. O sistema de aquecimento antigo do Volvo deixa meus lábios secos e a coisa de ela ter se inclinado parece, de fato, literalmente esquecida — e me ocorre que estou estranhamente desapontado com o fato de Jane não parecer nem um pouco chateada, o que, por um lado, faz com que eu me sinta estranhamente rejeitado, e, por outro, me faz pensar que talvez uma ala especial do Museu dos Loucos deva ser erguida em minha homenagem.

Encontramos uma vaga e estacionamos em uma rua a algumas quadras do lugar, e Jane me leva até uma porta de vidro sem identificação ao lado de uma lanchonete de cachorro-quente. Uma placa na porta diz CÓPIAS E IMPRESSÕES GOLD COAST. Subimos a escada, o cheiro de deliciosos focinhos de porco flutuando no ar, e entramos em uma loja que parece um minúsculo escritório. O lugar é pouquíssimo mobiliado, o que equivale a dizer que são duas cadeiras dobráveis, um pôster de gatinho escrito AGUENTE FIRME, uma planta morta num vaso, um computador e uma impressora sofisticada.

— Ei, Paulie — diz Jane a um cara coberto de tatuagens que parece ser o único empregado da loja. O cheiro de cachorro-quente se dissipou, mas só porque a Cópias e Impressões Gold Coast fede a maconha. O cara dá a volta no balcão e dá um abraço de um só braço em Jane, que então diz: "Este é meu amigo, Will", e o cara estende a mão, e enquanto a aperto vejo que ele tem as letras H-O-P-E, tatuadas nos dedos.

— Paulie e meu irmão são amigos. Frequentaram a Evanston juntos.

— É, *frequentamos* juntos — diz Paulie. — Mas não nos formamos juntos, porque ainda não me formei. — Paulie ri.

— Pois é, Paulie. Will perdeu a identidade — explica Jane.
Paulie sorri para mim.

— Uma pena, garoto. — Ele me entrega uma folha de papel em branco e diz: — Preciso do seu nome completo, endereço, data de nascimento, seguro social, altura, peso e cor dos olhos. E cem pratas.

— Eu, hã... — digo, pois não costumo carregar notas de cem por aí comigo. Mas, antes que eu possa sequer formar as palavras, Jane põe cinco notas de vinte no balcão.

Sentamos nas cadeiras dobráveis, e juntos inventamos minha nova identidade: Meu nome é Ishmael J. Biafra, meu endereço, W. Addison Street, número 1.060, a localização do estádio Wrigley Field. Tenho cabelos castanhos, olhos azuis, 1,78 metro, 72 quilos; meu número do seguro social são nove números aleatoriamente escolhidos, e eu fiz 22 anos no mês passado. Entrego o papel a Paulie, e então ele aponta pra uma tira de fita adesiva na parede e me diz pra ficar ali parado. Leva uma câmera digital até os olhos e diz: "Sorria!" Eu não sorri pra minha carteira de motorista de verdade, e com toda certeza não ia sorrir pra essa.

— Só vai levar um minuto — diz Paulie, e então eu me recosto na parede, nervoso o suficiente por causa da identidade pra esquecer de ficar nervoso por causa de minha proximidade com Jane. Embora eu saiba que sou aproximadamente a milionésima terceira pessoa a obter uma identidade falsa, ainda assim estou muito consciente de que se trata de um crime, e em geral não sou a favor de cometê-los.

— Eu sequer bebo — falo em voz alta, em parte pra mim e em parte pra Jane.

— A minha é só pros shows — afirma ela.

— Posso ver? — pergunto. Ela pega a mochila, cujo tecido foi todo escrito com nomes de bandas e frases, e pesca a carteira lá de dentro.

— Eu guardo ela escondida aqui — diz ela, abrindo o fecho de um compartimento da carteira — porque se eu, tipo, morrer ou alguma coisa assim, não quero que o hospital fique tentando ligar pros pais de Zora Thurston Moore.

E, de fato, esse é o nome dela, e a carteira parece completamente autêntica pra mim. Sua foto é incrível: a boca parece prestes a sorrir, e era exatamente assim que ela estava na casa de Tiny, diferente de todas as fotos dela no Facebook.

— Essa foto ficou ótima. É exatamente assim que você parece — digo a ela. E é verdade. Esse é o problema: tantas coisas são verdade. É verdade que quero sufocá-la de elogios e verdade que quero manter a distância. Verdade que quero que ela goste de mim e verdade que não quero. A verdade estúpida e infinita falando pelos dois lados e saindo por minha boca imensa e estúpida. É o que me faz continuar falando, feito um idiota.

— Tipo, não pode saber como você parece, certo? Sempre que se vê no espelho, sabe que está olhando para você, portanto, não pode evitar fazer um pouco de pose. Assim, nunca sabe *de verdade*. Mas essa... É assim que você parece.

Jane encosta dois dedos na foto da carteira, que estou segurando apoiada na minha perna, de modo que os dedos dela estão na minha perna se a gente não contar a carteira, e olho pra eles por um momento e então olho pra ela, que diz:

— Paulie, apesar de toda sua criminalidade, na verdade é um bom fotógrafo.

Nesse momento, Paulie surge acenando no ar um pedaço de plástico que parece uma carteira de motorista.

— Sr. Biafra, sua identidade.

Ele a entrega pra mim. Os dedos dessa mão exibem as letras L-E-S-S.

Está perfeita. Todos os hologramas de uma carteira legítima do Illinois, as mesmas cores, o mesmo plástico grosso e laminado, a mesma informação sobre doação de órgãos. Eu até pareço razoavelmente bem na foto.

— Meu Deus — exclamo. — Está magnífica. É a *Mona Lisa* das identidades.

— Sem problema — fala Paulie. — Muito bem, garotos, preciso resolver umas coisas. — Paulie sorri e ergue um baseado. Estou perplexo como alguém tão doido de maconha poderia ser esse gênio no campo da falsificação. — Até mais, Jane. Diga ao Phil pra me ligar.

— Sim, sim, capitão — diz Jane, e então começamos a descer a escada, e eu posso sentir minha identidade falsa no bolso da frente, apertada contra minha coxa, e tenho a sensação de que tenho uma passagem pro mundo inteiro.

Chegamos à rua, e o frio é sempre uma surpresa. Jane dispara a correr na minha frente e não sei se devo segui-la ou não, mas então ela se vira e começa a saltitar de costas. Com o vento no rosto dela, mal posso ouvi-la gritar:

— Anda, Will! Corre! Afinal, agora você é um *homem*.

E maldito seja eu se não começar a correr atrás dela.

capítulo quatro

estou arrumando o metamucil nas prateleiras do corredor sete quando maura chega furtivamente. ela sabe que meu chefe é um babaca quando me pega conversando na hora do trabalho, então ela finge olhar as vitaminas enquanto conversa comigo. está me dizendo que tem alguma coisa muito perturbadora na palavra "mastigável" e então, de repente, o relógio marca 17h12 e ela deduz que está na hora de me fazer perguntas pessoais.

maura: você é gay?
eu: que porra é essa?
maura: tudo bem por mim, se você for.
eu: ah, ótimo, porque o que mais me preocupa é se está tudo bem pra você.
maura: só estou dizendo.
eu: anotado. agora, por favor, dá pra calar a boca e me deixar trabalhar? ou você quer que eu use meu desconto de empregado pra comprar alguma coisa pra sua cólica?

acho que deveria mesmo haver um regulamento contra questionar a sexualidade de um cara quando ele está trabalhando. e, de qualquer forma, não quero falar sobre isso com maura, independentemente de onde estivermos. porque, eis a questão — nós não somos tão íntimos assim. maura é o tipo de amiga com quem gosto de trocar ideias de cenários apocalípticos. no entanto, não é alguém que me faz querer evitar que o apocalipse aconteça. durante o ano ou quase isso em que somos amigos, esse sempre foi um problema. sei que se contasse a ela que gosto de garotos, ela provavelmente pararia de querer ficar comigo, o que seria uma imensa van-tagem. mas também sei que imediatamente me tornaria seu bichinho de estimação gay, e esse é o último tipo de coleira que quero. e não é como se eu fosse assim *tão* gay. eu odeio a porra da madonna.

eu: devia haver um cereal pra quem tem prisão de ventre chamado metamüslix.

maura: estou falando sério.

eu: estou seriamente mandando você se foder. não devia me chamar de gay só porque não quero dormir com você. um monte de caras héteros também não quer dormir com você.

maura: vai se foder.

eu: ah, mas a questão é: não vai ser com você.

ela se aproxima e bagunça todos os frascos que eu vinha arrumando em fileiras. quase pego um deles e jogo na cabeça dela quando ela vai embora, mas a verdade é que se eu acer-tasse, o gerente me faria limpar tudo, e isso seria um saco. a última coisa que preciso é de massa encefálica nos meus sapatos novos. você sabe como é difícil fazer aquela merda sair? de qualquer forma, preciso muito deste emprego, o que significa que não posso fazer coisas como gritar ou prender meu crachá idiota de cabeça pra baixo ou usar jeans rasgado ou sacrificar cachorrinhos no corredor dos brinquedos. não me importo, de verdade, exceto quando o gerente está por perto ou quando pessoas que conheço vêm aqui e agem todas estranhas só porque eu estou trabalhando, e elas não.

penso que maura vai voltar, mas ela não volta, e eu sei que vou ter de ser legal com ela (pelo menos não ser cruel) pelos próximos três dias. faço uma anotação mental pra comprar um café ou alguma coisa pra ela, mas meu bloco de notas mental é uma piada, porque assim que coloco alguma coisa ali, ela desaparece. e a verdade é que da próxima vez que nos falarmos, maura vai pôr em prática todo seu modo de mágoa, e isso só vai me irritar ainda mais. afinal, foi ela quem abriu a boca. não é culpa minha se ela não aguenta a resposta.

a farmácia fecha às oito nos sábados, o que significa que saio às nove. eric, mary e greta estão todos falando de festas às quais estão indo, e até roger, o gerente certinho, nos diz que ele e a mulher vão "ter aquela noite em casa" — pisca-pisca, cutuca-cutuca, trepa-trepa, vomita-vomita. prefiro imaginar uma ferida purulenta com larvas rastejando em cima. roger é gordo e careca e a mulher provavelmente também é gorda e careca, e a última coisa que quero ouvir é sobre eles fazendo sexo gordo e careca. principalmente porque a gente sabe que ele está fazendo a coisa parecer todo esse pisca-cutuca quando a verdade é que provavelmente ele vai chegar em casa, os dois vão assistir a um filme do tom hanks e então um deles vai ficar deitado na cama ouvindo o outro mijar, aí vão trocar de lugar e, quando o segundo terminar no banheiro, as luzes vão se apagar e eles vão dormir.

greta me pergunta se quero ir junto, mas ela tem uns 23 anos ou quase isso e o namorado dela, vince, age como se fosse me estripar se eu uso alguma palavra um pouco mais difícil na presença dele. assim, eu só pego uma carona até em casa. minha mãe está lá, isaac não está on-line, e odeio que ela nunca tenha programa pra sábado à noite e isaac sempre tenha programas pra noite de sábado. isto é, não quero que ele fique em casa esperando que eu volte e mande uma mensagem, porque uma das coisas legais nele é que isaac tem uma vida. tem um e-mail dele dizendo que vai ao cinema porque é aniversário da kara, e digo a ele que deseje feliz aniversário a ela por mim, mas naturalmente, quando ele receber a mensagem, o aniversário dela já vai ter acabado e, de qualquer forma, não sei se ele falou de mim pra ela.

mamãe está em nosso sofá verde-limão, assistindo à minissérie *orgulho & preconceito* pela sétima zilionésima vez, e sei que vou acabar ficando histérico se me sentar lá e assistir com ela. o estranho é que ela também gosta mesmo da saga *kill bill* e eu nunca pude perceber uma diferença em seu humor quando assiste uma coisa ou outra. é como se ela fosse sempre a mesma pessoa, independentemente do que acontece. o que não pode estar certo.

acabo assistindo a *orgulho & preconceito* porque dura umas 15 horas, então sei que, quando acabar, isaac provavelmente já vai estar em casa. meu telefone continua tocando e continuo não respondendo. essa é uma coisa boa de saber que ele não pode me ligar — nunca preciso me preocupar se é ele ou não.

a campainha toca exatamente quando o cara está prestes a dizer à garota toda a merda que ele precisa dizer, e a princípio eu ignoro o toque da mesma forma que ignoro o celular. o único problema é que as pessoas na porta não caem na caixa postal, então a campainha soa outra vez e mamãe está prestes a se levantar, então digo que vou atender, imaginando que deve ser o equivalente à porta de um engano ao telefone. só que quando chego lá é maura quem está do outro lado e ela ouviu meus passos, portanto, sabe que estou aqui.

maura: preciso falar com você.
eu: não é meia-noite ou perto disso?
maura: só abra a porta.
eu: você vai ficar bufando?
maura: vamos lá, will. só abra.

é sempre um pouco assustador quando ela fala toda objetiva comigo. assim, enquanto estou abrindo a porta, já tento imaginar como me livrar dela. é como se algum instinto entrasse em ação.

mãe: quem é?
eu: é só a maura.

e, ah merda, maura vai levar o "só" pro lado pessoal. eu só quero que ela recolha a lágrima debaixo do olho e passe por cima disso. ela usa delineador preto suficiente para delinear um cadáver, e a pele dela é tão pálida que parece que acabou de virar vampira. só que sem os dois pontos de sangue no pescoço.

ficamos ali parados no vão da porta porque eu sinceramente não sei aonde deveríamos ir. não creio que maura já tenha

entrado na minha casa, exceto talvez na cozinha. definitivamente ela nunca esteve no meu quarto, porque é lá que fica
o computador, e maura é o tipo de garota que, no momento em que você a deixa sozinha, vai direto para o diário ou
o computador. além disso, você sabe, chamar alguém pro seu
quarto pode ser interpretado como outra coisa e certamente
não quero que maura pense que vou falar algo do tipo "ei-por-
que-a-gente-não-senta-na-minha-cama-e-ei-já-que-estamos-
sentados-na-minha-cama-que-tal-se-eu-colocar-meu-pau-
dentro-de-você?". no entanto, a cozinha e a sala agora são zo-
nas proibidas por causa da minha mãe, e o quarto dela é zona
proibida porque é o quarto dela. e é por isso que me vejo perguntando a maura se ela quer ir até a garagem.

maura: a garagem?
eu: olha, não vou te pedir que entre por um cano de descarga, ok? se eu quisesse fazer um pacto suicida com você,
optaria pela eletrocussão numa banheira. você sabe, com um
secador de cabelo. como os poetas fazem.
maura: está bem.

a maxissérie da minha mãe ainda não chegou ao auge da
baboseira romântica, então sei que maura e eu poderemos
conversar sem sermos perturbados. ou, pelo menos, seremos
os únicos perturbados na garagem. parece muito idiota sen-
tarmos no carro, então abro espaço pra nós perto das coisas
do meu pai que mamãe nunca foi capaz de jogar fora.

eu: então, o que foi?

maura: você é um imbecil.

eu: esta é a notícia urgente?

maura: cale a boca por um segundo.

eu: só se você calar a boca também.

maura: pare com isso.

eu: foi você quem começou.

maura: pare, por favor.

eu decido, ok, vou calar a boca. e o que é que ganho? quinze malditos segundos de silêncio. e isso é tudo.

maura: sempre digo pra mim mesma que você não tem a intenção de me machucar, o que faz com que seja menos doloroso, sabe? mas hoje — estou tão de saco cheio disso. de você. só pra você saber, eu também não quero dormir com você. eu jamais dormiria com alguém de quem não posso nem ser amiga.

eu: espera um segundo — agora não somos mais amigos?

maura: não sei o que somos. você sequer me conta que é gay.

essa é uma clássica manobra de maura. se ela não obtém uma resposta que quer, vai criar um beco sem saída pra encurralar você. como daquela vez em que vasculhou minha mochila quando eu estava no banheiro e encontrou meu remédio — eu não o havia tomado de manhã, e por isso o levara pra escola. ela esperou uns bons dez minutos antes de me perguntar se eu estava tomando algum medicamento. isso me pareceu um pouco despropositado, e eu não queria falar sobre o assunto, assim disse a ela que não. e o que ela faz então? enfia a mão na minha mochila, tira o frasco de comprimidos e me pergunta para que eles servem. ela teve sua resposta, mas aquilo não inspirou exatamente confiança. ficou me dizendo que eu não precisava sentir vergonha da minha "condição mental", e fiquei dizendo a ela que não sentia vergonha — só não queria falar sobre o assunto com ela. maura não conseguia entender a diferença.

então aqui estamos nós de volta a outro beco sem saída, e, desta vez, é a coisa de ser gay.

eu: opa, calma aí, mesmo que eu fosse gay, não seria uma decisão minha? a de te contar?

maura: quem é isaac?

eu: porra.

maura: você acha que não consigo ver o que você desenha no caderno?

eu: você está brincando comigo. então o problema é *isaac*?

maura: só me diga quem é ele.

essencialmente não quero dizer a ela. ele é meu, não dela. se eu lhe der um pedacinho que seja da história, ela vai querer tudo. de alguma maneira distorcida eu sei que ela está fazendo isso porque acha que é o que eu quero — falar de tudo, deixá-la saber de tudo sobre mim. mas não é isso que quero. não é o que ela pode ter.

eu: maura, maura, maura... isaac é um personagem. ele não existe de verdade. porra! é só uma coisa em que estou trabalhando. esta — eu não sei — *ideia*. tenho essas ideias todas na cabeça. estreladas por esse personagem, isaac.

não sei de onde veio essa merda. é como se tivesse sido me dada por alguma força divina de criação.

maura parece querer acreditar, mas não acredita de fato.

eu: como o pogo dog. só que não é um cachorro, e não está em um espeto.

maura: meu deus, tinha esquecido totalmente do pogo dog.

eu: você está brincando? ele ia deixar a gente rico!

e ela está caindo na história. está se encostando em mim e, juro por deus, se fosse um cara daria pra ver o pau duro na calça dela.

maura: eu sei que é horrível, mas estou meio aliviada que você não esteja escondendo algo tão importante de mim.

imaginei que este seria um mau momento pra observar que, na verdade, eu nunca disse que não era gay. só mandei ela se foder.

não sei se existe nada mais horrível que uma garota gótica ficando toda dengosa. maura não está só se encostando; agora está examinando minha mão como se alguém houvesse carimbado ali o significado da vida. em braille.

eu: é melhor eu voltar para ficar com minha mãe.

maura: diz pra ela que estamos conversando.

eu: prometi que assistiria a esse programa com ela.

o importante aqui é dispensar maura sem que ela perceba que eu a estou dispensando. porque realmente não quero magoá-la, não quando acabei de trazê-la de volta da beira da última mágoa que supostamente lhe infligi. sei que assim que maura chegar em casa ela vai mergulhar em seu caderno de poesia macabra, e estou fazendo o possível pra não obter uma avaliação ruim. uma vez maura me mostrou um de seus poemas.

me pendure
como uma rosa morta
me conserve
e minhas pétalas não vão cair
até você tocá-las
e eu dissolver

e eu escrevi um poema de volta pra ela

eu sou como
uma begônia morta
pendurada de cabeça pra baixo
porque
como uma begônia morta
eu estou cagando

ao qual ela retrucou

nem todas as flores
dependem da luz
pra crescer

então talvez esta noite eu inspire

pensei que seu solo fosse gay
mas talvez haja uma chance
pra eu me divertir, não sei
e tirar dele algum romance

tomara que eu nunca tenha de lê-lo ou saber dele, ou mesmo voltar a pensar nele.

eu me levanto e abro a porta da garagem pra que maura possa sair. digo a ela que nos vemos na segunda, na escola, e ela responde "não se eu o vir primeiro" e eu solto um rá rá rá até que ela esteja a uma distância segura e eu possa tornar a fechar a porta.

o grotesco nisso tudo é que tenho certeza de que um dia isso vai voltar pra me assombrar. que um dia ela vai dizer que dei corda pra ela, quando a verdade é que eu estava apenas mantendo-a a distância. preciso encontrar um namorado pra ela. logo. não sou eu que ela quer — ela só quer alguém pra quem ela seja tudo. e eu não posso ser esse cara.

quando volto pra sala, *orgulho & preconceito* já está quase chegando ao fim, o que significa que todo mundo sabe bem em que pé está sua relação com todos os outros. em geral, a essa altura, minha mãe se encontra mergulhada em lenços de papel amassados, mas dessa vez não há sequer um olho úmido. ela praticamente confirma isso quando desliga o dvd.

mãe: eu realmente preciso parar com isso. preciso trocar de vida.

penso que ela está falando com ela mesma, ou com o universo, e não especificamente comigo. no entanto, não posso deixar de pensar que "trocar de vida" é algo em que somente um completo idiota pode acreditar. como se você pudesse pegar o carro, ir até uma loja e comprar uma vida nova. vê-la em sua caixa brilhante, olhar pela tampa de plástico, vislumbrar a si mesmo em uma nova vida e dizer: "uau, pareço muito mais feliz — acho que esta é a vida de que preciso!", levá-la até o caixa, pagar no cartão de crédito. se trocar de vida fosse fácil assim, seríamos uma raça em êxtase. mas não somos. então, mãe, sua vida não está lá fora à sua espera, portanto, não pense que tudo que você precisa fazer é encontrá-la e trocar pela atual. não, sua vida é essa mesma. e, sim, ela é uma merda. a vida costuma ser assim. portanto, se quer que as coisas mudem, não precisa trocar de vida. você precisa tirar a bunda da cadeira.

é claro que não digo nada disso. as mães não precisam ouvir esse tipo de merda dos filhos, a menos que estejam fazendo algo muito errado, como fumar na cama, ou usar heroína, ou usar heroína enquanto fumam na cama. se minha mãe fosse uma garota da minha escola, todos os amigos dela diriam: "cara, você só precisa ser comida." mas, sinto muito, gênios, não existe essa coisa de trepada terapêutica. a trepada terapêutica é a versão adulta do papai noel.

é meio doentio que minha mente tenha ido da minha mãe pra uma trepada, então fico feliz quando ela se queixa um pouco mais sobre si mesma.

mãe: isto está virando rotina, não é? sua mãe em casa num sábado à noite, esperando que darcy apareça.

eu: não existe uma resposta pra essa pergunta, não é?

mãe: não. provavelmente não.

eu: você já chamou esse tal darcy pra sair?

mãe: não. na verdade, ainda não o encontrei.

eu: bem, ele não vai aparecer até você o convidar.

eu dando conselho romântico à minha mãe é meio como um peixinho de aquário dando conselho a uma lesma sobre como voar. eu poderia lembrar a ela que nem todos os caras são canalhas como meu pai, mas ela contraditoriamente odeia quando falo mal dele. ela provavelmente só está preocupada com o dia em que vou acordar e perceber que metade dos meus genes são tão orientados pra ser um filho da puta que vou desejar ser um filho da puta. bem, mãe, adivinhe só? esse dia aconteceu há muito tempo. e eu gostaria de dizer que é aí que entram os comprimidos, embora eles lidem apenas com os efeitos colaterais.

deus abençoe os estabilizadores de humor. *e todos os humores serão criados iguais.* eu sou a porra do movimento dos direitos civis do humor.

já está tarde o bastante pra que isaac esteja em casa, então digo a minha mãe que estou indo pra cama e, pra ser agradável, digo a ela que, se vir algum cara bonito, assim, de cueca e cavalgando sensualmente a caminho do shopping, vou passar o número do telefone dela. ela me agradece por isso, e diz que é uma ideia melhor que qualquer uma das que suas amigas do pôquer já tiveram. me pergunto se logo ela estará pedindo a opinião do carteiro.

tem uma mensagem pendente à minha espera quando tiro o protetor de tela.

amarradopelopai: vc está aí?
amarradopelopai: estou torcendo
amarradopelopai: e esperando
amarradopelopai: e rezando

todos os tipos de comemoração inundam meu cérebro. o amor é muito uma droga.

grayscale: por favor, seja a voz da sanidade que resta no mundo.

amarradopelopai: vc está aí!

grayscale: exato.

amarradopelopai: se vc está contando comigo pra sanidade, a coisa deve estar feia.

grayscale: é, bem, maura foi até a farmácia fazer uma audição pro papel de bruxa, e quando eu disse a ela que os testes estavam cancelados, ela resolveu que aceitava

grayscale: uma trepadinha no lugar. e então minha mãe começou a dizer que não tinha vida. ah, e ainda tenho dever de casa pra fazer. ou não.

amarradopelopai: é difícil ser você, hein?

grayscale: sem dúvida.

amarradopelopai: você acha que maura sabe a verdade?

grayscale: tenho certeza de que ela pensa que sabe.

amarradopelopai: que vaca intrometida.

grayscale: na verdade, não. não é culpa dela eu não querer falar disso. prefiro dividir com você.

amarradopelopai: e você está. enquanto isso, nenhum programa no sábado à noite? passando mais tempo agradável com sua mãe?

grayscale: você, querido, é meu programa de sábado à noite.

amarradopelopai: sinto-me honrado.

grayscale: deveria mesmo. como foi o aniversário?

amarradopelopai: simples. kara só queria ver um filme comigo e janine. boa companhia, filme fraco. aquele do cara que descobre que a garota com quem ele casa é um sucubo.

amarradopelopai: súcubo?

amarradopelopai: súcobo?

grayscale: súcubo

amarradopelopai: é, isso. começou muito idiota. depois ficou muito chato. depois ficou barulhento e idiota. depois teve uns dois minutos em que, de tão idiota, ficou engraçado. então voltou a ser idiota, e finalmente terminou sem pé nem cabeça.

amarradopelopai: muito bacana, muito bacana

grayscale: como está kara?

amarradopelopai: se recuperando.

grayscale: como assim?

amarradopelopai: ela fala muito dos problemas do passado, é uma forma de nos convencer de que estão no passado. e talvez estejam mesmo.

grayscale: você falou pra ela que mandei um oi?

amarradopelopai: sim. acho que o que eu disse foi: "will diz que quer você dentro dele", mas o efeito foi o mesmo. ela disse oi de volta.

grayscale: **suspiro triste** queria estar lá.

amarradopelopai: eu queria estar aí com você agora.

grayscale: mesmo? ☺

amarradopelopai: sinsenhor.

grayscale: e se estivesse aqui...

amarradopelopai: o que eu faria?

grayscale: ☺

amarradopelopai: deixa eu te dizer o que eu faria.

essa é uma brincadeira nossa. na maior parte do tempo não falamos a sério. assim, são vários os caminhos que podemos seguir. o primeiro consiste basicamente em zombarmos das pessoas que fazem sexo pela internet inventando nosso próprio e ridículo diálogo desdenhográfico.

grayscale: quero que você lamba minha clavícula.

amarradopelopai: estou lambendo sua clavícula.

grayscale: aah, como isso é gostoso.

amarradopelopai: clavícula safadinha.

grayscale: hummmmm

amarradopelopai: wwwwwwww

grayscale: rrrrrrrrrrrrrrrr

amarradopelopai: ttttttttttttttttttt

outras vezes optamos pela abordagem ficção romântica. pornô piegas.

amarradopelopai: empurre seu mastro feroz e trêmulo em mim, garanhão grayscale: seu apêndice ignóbil me enche com o fogo do inferno

amarradopelopai: minha equipe de busca está rastejando em direção à sua terra de ninguém

grayscale: me regue como um peru de natal!!!

e então há noites, como a de hoje, quando o que se segue é a verdade, porque é o que mais precisamos. ou talvez apenas um de nós dois mais precise dela, mas o outro sabe a hora certa de dá-la.

como agora, quando o que mais desejo no universo é tê-lo ao meu lado. ele sabe disso, e diz

amarradopelopai: se eu estivesse aí, pararia atrás da sua cadeira e colocaria minhas mãos em seus ombros, de leve, e os massagearia delicadamente até que você terminasse sua última frase

amarradopelopai: então eu me inclinaria pra frente e deslizaria as mãos pelos seus braços e encaixaria meu pescoço no seu e deixaria você se virar para mim e descansar ali por algum tempo

amarradopelopai: descanso

amarradopelopai: e quando você estivesse pronto, eu o beijaria uma vez e me afastaria, então me sentaria em sua cama e esperaria por você ali, só pra ficarmos deitados, e você poderia me abraçar, e eu poderia abraçá-lo de volta

amarradopelopai: e sentiríamos tanta paz. ficaríamos completamente em paz. como a sensação de ter sono, só que com nós dois acordados juntos.

grayscale: isso seria tão maravilhoso.

amarradopelopai: eu sei. eu adoraria também.

não consigo imaginar nós dois dizendo essas coisas em voz alta um pro outro, mas mesmo que eu não consiga imaginar essas palavras, posso imaginar vivê-las. nem sequer visualizo a cena. em vez disso, estou nela. como me sentiria com ele aqui. aquela paz. seria tamanha felicidade que fico triste por ela só existir em palavras.

logo no início, isaac deixou claro pra mim que ele acha as pausas incômodas — se passasse muito tempo sem que eu respondesse, ele pensaria que eu estava digitando outra coisa em outra janela, ou que havia saído do computador, ou que estava mandando mensagens pra outros 12 garotos além dele. e tenho de admitir que eu sentia os mesmos medos. assim, agora fazemos essa coisa sempre que estamos numa pausa. simplesmente digitamos

grayscale: estou aqui
amarradopelopai: estou aqui
grayscale: estou aqui
amarradopelopai: estou aqui

até que venha a próxima frase.

grayscale: estou aqui
amarradopelopai: estou aqui
grayscale: estou aqui
amarradopelopai: o que estamos fazendo?

grayscale: ???

amarradopelopai: acho que já está na hora

amarradopelopai: de a gente se encontrar

grayscale: !!!

grayscale: é sério?

amarradopelopai: delirantemente

grayscale: está dizendo que eu teria uma chance de ver você

amarradopelopai: abraçar de verdade

grayscale: de verdade

amarradopelopai: sim

grayscale: sim?

amarradopelopai: sim.

grayscale: sim!

amarradopelopai: estou maluco?

grayscale: sim! ☺

amarradopelopai: vou ficar maluco, se não fizermos isso.

grayscale: devíamos.

amarradopelopai: devíamos.

grayscale: ahmeudeusuau

amarradopelopai: vai acontecer, não é?

grayscale: agora não podemos mais voltar atrás.

amarradopelopai: estou tão animado...

grayscale: e apavorado

amarradopelopai: ... e apavorado

grayscale: ... mas principalmente animado?

amarradopelopai: principalmente animado.

vai acontecer. sei que vai acontecer.

tontos e assustados, escolhemos uma data.

sexta-feira. daqui a seis dias

apenas seis dias.

em seis dias, talvez minha vida comece de fato.

isso é tão louco.

e a coisa mais louca de todas é que estou tão animado que quero imediatamente contar tudo a isaac, embora ele seja a pessoa que já sabe disso. nem maura, nem simon, nem derek, nem minha mãe — ninguém neste mundo inteirinho, com exceção de isaac. ele é, ao mesmo tempo, a fonte da minha felicidade e a pessoa com quem quero partilhá-la.

tenho de acreditar que isso é um sinal.

capítulo cinco

Esse é um daqueles fins de semana em que não saio de casa pra nada — literalmente — exceto uma ida rápida com minha mãe até a loja de conveniência White Hen. Esses fins de semana em geral não me aborrecem, mas fico meio que torcendo pra que Tiny Cooper e/ou Jane liguem e me deem uma desculpa pra usar a identidade que escondi nas páginas de *Persuasão* na minha estante. Mas ninguém liga; tampouco Tiny ou Jane aparecem on-line; e está mais frio que o peito de uma bruxa em um sutiã de aço, então fico em casa e ponho o dever de casa em dia. Faço o trabalho de pré-cálculo, e, quando termino, fico sentado com o livro por umas três horas, tentando entender o que acabei de fazer. É um fim de semana desses — do tipo em que você tem tanto tempo que vai além das respostas e começa a olhar as ideias.

Então, na noite de domingo, quando estou no computador vendo se alguém está on-line, meu pai coloca a cabeça na porta do quarto. "Will", diz ele, "você tem um segundo pra conversar na sala?" Giro na cadeira e me levanto. Meu estômago se contrai um pouco porque a sala é o lugar menos agradável de se ficar; o lugar onde a não existência do Papai Noel é revelada, onde as avós morrem, onde testas franzidas olham as notas nos boletins e onde se aprende que a caminhonete do homem entra na garagem da mulher, e então sai, e então volta a entrar, e assim por diante, até um óvulo ser fertilizado etc. etc.

Meu pai é muito alto, muito magro e muito careca, e tem dedos longos e finos, que ele tamborila no braço de um sofá de estampa floral. Eu me sento de frente pra ele em uma poltrona superacolchoada e superverde. O dedo que tamborila prossegue por uns 34 anos, mas ele não diz nada, e então eu finalmente digo:

— Ei, pai.

Ele tem uma maneira de falar intensa e muito formal, o meu pai. Sempre fala como se estivesse informando que você tem câncer em estágio terminal — o que, na verdade, corresponde a uma boa parte do trabalho dele, então faz sentido. Ele me olha com aqueles olhos tristes e intensos de você-tem-câncer, e diz:

— Sua mãe e eu estamos querendo saber sobre seus planos.

E respondo:

— Hã, bem. Pensei em ir, hã, pra cama daqui a pouco. E depois ir pra escola. Vou a um show na sexta. Já avisei a mamãe.

Ele faz que sim com a cabeça.

— OK, mas depois disso.

— Hã, depois disso? Você se refere a, tipo, ir pra faculdade e arrumar um emprego e me casar e dar netos a vocês e ficar longe das drogas e viver feliz pra sempre?

Ele quase sorri. É algo excessivamente difícil, fazer meu pai sorrir.

— Tem um aspecto desse processo no qual sua mãe e eu estamos particularmente interessados neste momento particular da sua vida.

— Faculdade?

— Faculdade — diz ele.

— Não preciso me preocupar com isso até o ano que vem — observo.

— Nunca é cedo demais pra planejar — insiste ele.

E aí ele começa a falar sobre esse programa na Northwestern em que você pode fazer o curso de medicina completo, tipo, os seis anos, de maneira que, aos 25 anos, você já é residente, e pode ficar perto de casa, mas, é claro, morar no campus e blá-blá-blá. Depois de uns 11 segundos, me dou conta de que ele e mamãe decidiram que eu deveria ir pra esse programa e que estão me apresentando cedo à ideia, e periodicamente vão tocar nesse assunto ao longo do próximo ano, pressionando, pressionando e pressionando. Me dou conta também de que, se eu conseguir entrar, provavelmente irei. Há maneiras piores de se ganhar a vida.

Sabe como as pessoas costumam dizer com frequência que seus pais estão sempre certos? "Siga o conselho dos seus pais; eles sabem o que é bom pra você." E você sabe como ninguém jamais ouve esse conselho, porque, mesmo que seja verdade, é tão irritante e condescendente que só te faz querer sair por aí e, tipo, desenvolver uma dependência de metanfetamina e fazer sexo sem proteção com 87 mil parceiros anônimos? Bem, eu ouço os meus pais. Eles sabem o que é bom pra mim. Honestamente, eu dou ouvidos a qualquer um. Quase todo mundo sabe mais que eu.

E/porém/portanto meu pai não faz ideia, mas toda a sua explicação sobre esse futuro é inútil; já está tudo certo por mim. Não, estou pensando no quanto me sinto pequeno nessa cadeira absurdamente grande, e na identidade falsa aquecendo as páginas de Jane Austen, e se estou mais furioso ou espantado com Tiny, e pensando na sexta, em me manter longe de Tiny na roda punk enquanto ele tenta dançar como todo mundo, e no aquecimento ligado forte demais no clube e todo mundo com a roupa molhada de suor, a música num ritmo tão vigoroso e uma sensação de arrepio que nem ligo sobre o que estão cantando.

E digo:

— É, parece mesmo legal, pai.

E ele fica falando que conhece gente lá, e eu fico balançando a cabeça só dizendo uhum, uhum, uhum.

Na segunda de manhã, chego à escola vinte minutos adiantado porque minha mãe tem de estar no hospital às 7h — imagino que alguém tem um tumor extragrande ou coisa parecida. Então me encosto no mastro da bandeira no gramado da frente da escola, esperando Tiny Cooper e tremendo de frio apesar das luvas e do chapéu, e do casaco e do capuz. O vento sopra, cortante, pelo gramado, e posso ouvi-lo fustigando a bandeira acima de mim, mas de maneira nenhuma vou entrar naquele edifício um nanossegundo antes de o sinal da primeira aula soar.

Os ônibus descarregam os alunos, e o gramado começa a se encher de calouros, nenhum dos quais parecendo particularmente impressionado comigo. Então vejo Clint, membro titular do meu ex-Grupo de Amigos, andando em minha direção, vindo do estacionamento do terceiro ano. Consigo me convencer de que de fato ele não está vindo em *minha* direção até que um hálito visível sopra sobre mim como uma pequena e malcheirosa nuvem. E não vou mentir: eu meio que espero que ele esteja prestes a se desculpar pela pequenez mental de certos amigos dele.

"Ei, seu puto", diz ele. Clint chama todo mundo de *seu puto*. Será um elogio? Um xingamento? Ou talvez sejam as duas coisas de uma só vez, o que precisamente torna o adjetivo tão útil.

Eu me encolho um pouco por causa do azedume do hálito dele e simplesmente digo: "Ei." Igualmente evasivo. Todas as conversas que tive com Clint ou com qualquer outro do Grupo de Amigos são idênticas: todas as palavras que usamos são despojadas, para que ninguém nunca saiba o que o outro está dizendo, de modo que toda gentileza seja crueldade, todo egoísmo seja generoso, todo cuidado seja insensível.

E ele diz:

— Tiny me ligou esse fim de semana pra falar do musical dele. Quer que o conselho estudantil o financie.

Clint é o vice-presidente do conselho estudantil.

— Ele me contou a porra toda sobre o musical. A história de um grande filho da puta gay e de seu melhor amigo que usa pinça pra tocar punheta porque o pau dele é muito pequeno. — Ele diz isso tudo com um sorriso. Não está sendo perverso. Não exatamente.

E eu quero dizer: *Isso é incrivelmente original. De onde você tira essas pérolas, Clint? Tem alguma fábrica de piadas na Indonésia, onde crianças de 8 anos trabalham 90 horas por semana pra te entregar esse tipo de comentário espirituoso de alta qualidade? Existem* boy bands *com material mais original.* Mas não digo nada..

— Pois é — continua Clint. — Acho que talvez ajude Tiny na reunião de amanhã. Porque a peça parece uma ideia fantástica. Só tenho uma pergunta: você vai cantar suas próprias músicas? Porque eu pagaria pra ver isso.

Rio um pouco, mas não muito.

— Não sou muito de drama — respondo, finalmente. Nesse momento, sinto uma presença enorme atrás de mim. Clint levanta muito o queixo pra olhar pra Tiny e então o cumprimenta com um gesto de cabeça. Ele diz:

— E aí, Tiny? — E se afasta.

— Ele tá tentando te roubar de volta? — pergunta Tiny. Faço meia-volta e *agora* posso falar.

— Você passa o fim de semana todo off-line e sem me ligar, no entanto encontra tempo pra ligar pra *ele* em suas contínuas tentativas de arruinar minha vida social através da magia da música?

— Em primeiro lugar, *Tiny Dancer* não vai arruinar sua vida social, porque você não tem uma. Em segundo, você também não me ligou. Em terceiro, eu estava muito ocupado! Nick e eu passamos quase todo o fim de semana juntos.

— Pensei que tivesse te explicado por que você não pode ficar com o Nick — digo, e Tiny está começando a falar outra vez quando vejo Jane, encurvada, avançando contra o vento. Ela está usando um casaco de capuz que não é grosso o bastante, e vem em nossa direção.

Eu digo oi, ela diz oi, então caminha e para do meu lado como se eu fosse um aquecedor ou algo assim. Jane estreita os olhos, tentando se proteger do vento, e eu digo: "Ei, toma aqui meu casaco." Eu o tiro e ela se enterra nele. Ainda estou pensando em uma pergunta pra fazer a Jane quando o sinal dispara e todos entramos apressados.

Não vejo Jane durante todo o dia na escola, o que é um pouco frustrante, porque mesmo nos corredores está congelando, e eu fico o tempo todo preocupado com o fato de que depois das aulas vou congelar até a morte no caminho até o carro de Tiny. Depois do último tempo, desço correndo e destranco meu armário. O casaco está embolado lá dentro.

Bem, é possível passar um bilhete por um armário trancado, através das aberturas de ventilação. Forçando um pouco, até mesmo um lápis. Uma vez, Tiny Cooper enfiou um livro do Happy Bunny em meu armário. Mas acho extraordinariamente difícil imaginar como Jane, que, afinal, não é a pessoa mais forte do mundo, conseguiu enfiar um casaco inteiro pelas pequenas fendas.

Mas não estou aqui pra fazer perguntas, então visto o casaco e saio, a caminho do estacionamento onde Tiny Cooper está partilhando um daqueles apertos-de-mão-seguidos-por-um-abraço com ninguém menos que Clint. Abro a porta do passageiro e entro no Acura de Tiny. Ele entra logo em seguida, e, embora eu esteja puto com ele, até sou capaz de apreciar a fascinante e complexa geometria envolvida no ato de Tiny Cooper entrar em um carro minúsculo.

— Tenho uma proposta — digo enquanto ele se dedica a outro milagre da engenharia: o de prender o cinto de segurança.

— Estou lisonjeado, mas não vou dormir com você — responde Tiny.

— Não tem graça nenhuma. Ouça, minha proposta é que, se você desistir dessa coisa de *Tiny Dancer*, eu vou... bem, o que você quer que eu faça? Porque eu faço qualquer coisa.

— Bem, eu quero que você fique com a Jane. Ou, pelo menos, ligue pra ela. Depois de eu tão habilmente arranjar pra deixar vocês sozinhos, ela parece ter ficado com a impressão de que você não quer ficar com ela.

— E não quero — digo. O que é inteiramente verdade e inteiramente mentira. A verdade estúpida e totalmente abrangente.

— Em que ano acha que estamos, 1832? Quando você gosta de alguém e essa pessoa gosta de você, põe a porra da boca na boca da outra, abre a boca um pouco e então põe só um pedacinho da língua pra fora pra esquentar as coisas. Pelo amor de *Deus*, Grayson. Todo mundo sempre critica que a juventude da América é devassa, que são maníacos por sexo, distribuindo punhetas como se fossem pirulitos, e você não consegue nem beijar uma garota que *decididamente gosta de você*?

— Eu não gosto dela, Tiny. Não assim.

— Ela é *maravilhosa*.

— Como você pode saber?

— Eu sou gay, não cego. O cabelo dela é todo fofo e ela tem o nariz perfeito. Isso, *perfeito*. E o quê? O que vocês gostam? Peitos? Ela parece ter peitos. Eles parecem ser aproximadamente do tamanho normal de peitos. O que mais você quer?

— Não quero falar disso.

Então ele liga o carro e começa a bater a cabeça na buzina ritmicamente. *Peeeeeem. Peeeeeem. Peeeeeem.*

— Você está envergonhando a gente — grito acima da buzina.

— Vou ficar fazendo isso até ter uma lesão cerebral ou você dizer que vai ligar pra ela.

Enfio os dedos nos ouvidos, mas Tiny continua a bater a cabeça na buzina. As pessoas estão nos olhando. Finalmente, digo:

— Está bem. Está bem! ESTÁ BEM!

E a buzina cessa.

— Vou ligar pra Jane. Vou ser legal com ela. Mas ainda assim não quero ficar com ela.

— Isso é escolha sua. Uma escolha idiota.

— Então — continuo, esperançoso —, nada de *Tiny Dancer*?

Tiny dá a partida no carro.

— Desculpe, Grayson, mas não posso fazer isso. *Tiny Dancer* é maior que você ou eu, ou qualquer um de nós.

— Tiny, você tem uma compreensão bem distorcida de compromisso.

Ele ri.

— Compromisso é quando você faz o que eu digo pra você fazer e eu faço o que eu quero. O que me lembra: vou precisar de você na peça.

Eu reprimo uma risada, porque essa merda vai deixar de ser engraçada se for apresentada em nosso maldito auditório.

— Nem pensar. Não. NÃO. Além disso, insisto que você não me inclua no texto.

Tiny suspira.

— Você não entende, não é? Gil Wrayson não é *você*; é um personagem fictício. Não posso simplesmente mudar minha arte porque você se sente incomodado com ela.

Tento uma abordagem diferente.

— Você vai se humilhar lá em cima, Tiny.

— Vai acontecer, Grayson. Tenho o apoio financeiro do conselho estudantil. Portanto, cale a boca e lide com o fato.

Eu calo a boca e lido com o fato, mas não telefono pra Jane naquela noite. Não sou o garoto de recados de Tiny.

Na tarde seguinte, volto de ônibus pra casa, porque Tiny está ocupado na reunião do conselho estudantil. Ele me liga assim que acaba.

— Ótimas notícias, Grayson! — grita.

— Ótimas notícias pra alguém são sempre más notícias pra outra pessoa — respondo.

E, de fato, o conselho estudantil aprovou o financiamento de mil dólares pra montagem e produção do musical *Tiny Dancer*.

Nessa noite, estou esperando meus pais chegarem em casa para jantarmos e tentando trabalhar num ensaio sobre Emily Dickinson, mas, principalmente, estou fazendo o download de tudo que os Maybe Dead Cats já gravaram. Eu meio que os amo incondicionalmente. E, enquanto fico ouvindo o som deles, fico querendo dizer a alguém o quanto eles são bons, e aí ligo pra Tiny, mas ele não atende, e então faço exatamente o que Tiny quer — como sempre. Ligo pra Jane.

— Ei, Will — diz ela.

— Eu meio que amo incondicionalmente os Maybe Dead Cats — digo.

— É, eles não são maus. Um pouco pseudointelectuais, mas, afinal, não somos todos?

— Acho que o nome da banda é, tipo, uma referência a um físico — observo. Na verdade, eu *sei* disso. Acabei de pesquisar a banda na Wikipédia.

— É — concorda ela. — Schrödinger. Só que o nome da banda é um fracasso total, porque Schrödinger é famoso por apontar esse paradoxo na física quântica em que, em certas circunstâncias, um gato não visível pode estar *tanto* vivo *quanto* morto. E não *maybe*, talvez, morto.

— Ah — respondo, pois não posso nem fingir que sabia disso. Eu me sinto um completo imbecil, então mudo de assunto. — Ouvi dizer que Tiny Cooper usou sua Tiny Magia e o musical foi aprovado.

— Sim. Mas, falando nisso, qual é o seu problema com *Tiny Dancer*?

— Você já *leu*?

— Sim. É incrível, se ele conseguir realizá-la.

— Bem, eu sou, assim, o coastro. Gil Wrayson. Esse sou eu, é óbvio. E é... é constrangedor.

— Você não acha que é meio incrível ser, assim, o coastro na vida de Tiny?

— Na verdade, não quero ser o coastro na vida de *ninguém* — afirmo.

Ela não diz nada como resposta.

— Então, como você está? — pergunto após um segundo.

— Normal.

— Só normal?

— Você encontrou o bilhete no bolso do seu casaco?

— O quê... não. Tinha um bilhete?

— Tinha.

— Ah. Espere aí. — Ponho o telefone na mesa e vasculho os bolsos. O problema com os bolsos do meu casaco é que, se eu tiver um lixo pequeno, tipo assim, uma embalagem de Snickers, mas não tiver nenhuma lixeira por perto, meus bolsos acabam se tornando a lixeira. E não sou muito bom em esvaziar os bolsos-lixeiras. Assim, levo alguns segundos pra encontrar um pedaço de folha de caderno dobrado. Do lado de fora diz:

Para: Will Grayson

De: A Houdini do Armário

Pego o telefone e digo:

— Ei, encontrei. — Eu me sinto um pouquinho enjoado, de uma forma que é, ao mesmo tempo, boa e ruim.

— Então, você leu?

— Não — respondo, e me pergunto se não seria melhor não ler o bilhete. Eu não devia ter ligado pra ela, pra começar. — Espere. — Desdobro o papel:

Sr. Grayson,

O senhor deve sempre se certificar de que não há ninguém olhando quando destrancar seu armário. Nunca se sabe (18) quando alguém (26) irá gravar (4) a sua combinação. Obrigada pelo casaco. Creio que o cavalheirismo ainda não morreu.

Sinceramente,

Jane

P.S.: Gosto do fato de que você trata seus bolsos do jeito que eu trato meu carro.

Depois de terminar o bilhete, leio outra vez. Ele torna as duas verdades mais verdadeiras. Eu quero ela. E não quero. Talvez eu seja mesmo um robô. Não tenho a menor ideia do que dizer, então digo a pior coisa possível.

— Muito fofo.

É por isso que tenho de aderir à Regra 2.

No silêncio que se seguiu, tenho tempo de contemplar a palavra fofo — o quanto é depreciativa, como equivale a chamar alguém de pequeno, como transforma a pessoa em um bebê, como a palavra é um letreiro de néon cintilando na escuridão a mensagem: "Sinta-se mal em relação a si mesmo."

E então finalmente ela diz:

— Não é meu adjetivo preferido.

— Desculpe. Quero dizer, é...

— Sei o que você quer dizer, Will. — Ela me corta. — Me desculpe. Eu, há, não sei. Acabei de sair de um relacionamento, e acho que estou, assim, só procurando alguém para preencher a vaga, e você é o candidato mais óbvio pra tanto e, ah, meu Deus, isso soa péssimo. Ah, Deus. Vou desligar.

— Me desculpe o fofo. Não era fofo. Era...

— Esqueça. Esqueça o bilhete, de verdade. Eu nem mesmo... Não se preocupe com isso, Grayson.

Depois de pôr um fim desajeitado à ligação, me dou conta do fim que ela pretendera dar à frase "Eu nem mesmo...". "Eu nem mesmo... gosto de você, Grayson, porque você é meio..."

Como posso dizer isso de forma educada... Não muito inteligente. Tipo, você teve de procurar aquele físico na Wikipédia. Eu simplesmente sinto falta do meu namorado, e você não me beijou, então eu meio que quero só porque você não quis, e, de verdade, não é nada de mais, mas eu não consigo encontrar uma forma de te dizer isso sem ferir seus sentimentos, e como sou muito mais piedosa e atenciosa do que você com seus *fofos*, vou simplesmente interromper a frase em *eu nem mesmo*."

Ligo outra vez pra Tiny, dessa vez não pra falar dos Maybe Dead Cats, e ele atende na metade do primeiro toque e diz:

— Boa noite, Grayson.

Pergunto se ele concorda comigo sobre o provável fim da frase dela, e então pergunto o que teria causado o curto-circuito em meu cérebro pra chamar o bilhete de fofo, e como é possível estar ao mesmo tempo atraído e não atraído por alguém, e se, por acaso, eu não seria um robô incapaz de ter sentimentos verdadeiros, e se você acha que, na verdade, tentar seguir as regras sobre ficar de boca fechada e não me importar fez de mim um tipo de monstro hediondo que ninguém vai amar nem querer casar. Eu falo tudo isso, e Tiny não diz nada, o que é basicamente uma virada sem precedentes nos acontecimentos, e então, quando finalmente me calo, Tiny diz *hummm* daquele seu jeitinho e então continua — e aqui eu o cito em discurso direto: "Grayson, às vezes você é *igual. a. uma. garota*." E desliga na minha cara.

A frase inacabada fica na minha cabeça a noite toda. E então meu coração de robô decide fazer alguma coisa — o tipo de coisa que seria apreciada por uma hipotética garota-de-quem-eu-gostaria.

Na escola, sexta, almoço super-rápido, o que e muito fácil de fazer, pois Tiny e eu estamos em uma mesa cheia de Gente do Teatro, e eles estão discutindo *Tiny Dancer*, todos falando mais palavras por minuto do que eu falo em um dia inteiro. A curva conversacional segue um padrão distinto — as vozes vão ficando mais altas e mais rápidas, num crescendo, até que Tiny, falando acima de todos, faz uma piada, e a mesa explode numa gargalhada, e as coisas se acalmam brevemente, então as vozes recomeçam, crescendo e crescendo até a iminente erupção de Tiny. Assim que percebo esse padrão, fica difícil não prestar atenção nele, mas tento me concentrar em engolir minhas enchiladas. Despejo uma Coca goela abaixo e me levanto.

Tiny ergue a mão pra silenciar o vozerio.

— Aonde você vai, Grayson?

— Preciso ir ver uma coisa — digo.

Sei a localização *aproximada* do armário dela. Fica aproximadamente na frente do mural do corredor, no qual uma versão mal pintada do mascote da nossa escola, Willie, o Wildkit, diz num balão de fala: "Wildkits Respeitam a TODOS", o que é hilário em, pelo menos, 14 níveis diferentes, o décimo quarto sendo que *não existe essa coisa de wildkit*. Willie, o Wildkit, parece um leão da montanha, embora, apesar de eu admitir não ser nenhum expert em zoologia, eu esteja razoavelmente seguro de que leões da montanha, na verdade, não respeitam a todos.

Assim, estou recostado no mural do Willie, o Wildkit, numa posição que parece que sou eu que estou dizendo que Wildkits Respeitam a TODOS, e tenho de esperar assim por uns dez minutos, tentando fazer parecer que estou fazendo alguma coisa e pensando que deveria ter levado um livro ou qualquer coisa pra não ficar tão na cara que estou à espreita, e então finalmente o sinal para o início da aula soa e o corredor se enche de gente.

Jane vai até o armário, dou um passo pro meio do corredor, as pessoas abrem caminho pra mim e dou outro passo para a esquerda pra ficar no ângulo certo. Posso ver a mão dela indo até o armário, estreito os olhos e 25-2-11. Me misturo ao fluxo de alunos e vou pra aula de história.

Sétimo tempo, tenho essa aula de criação de videogames. Acaba que criar videogames é incrivelmente difícil e nem de perto tão divertido quanto jogá-los, mas a vantagem da aula é que tenho acesso à internet e meu monitor fica de costas pro professor quase o tempo todo.

Então mando um e-mail para os Maybe Dead Cats.

De: williamgrayson@eths.il.us
Para: thiscatmaybedead@gmail.com
Assunto: Salvem a Minha Vida
Caros Maybe Dead Cats,

Se, por acaso, vocês tocarem "Annus Miribalis" hoje à noite, será que poderiam dedicá-la a 25-2-11 (o segredo do armário de uma tal garota)? Isso seria incrível.

Desculpe o pedido tão em cima da hora,

Will Grayson

A resposta veio antes mesmo do fim da aula.

Will,

Tudo pelo amor.

MDC

Assim, depois da aula, Jane, Tiny e eu vamos ao Frank's Franks, uma lanchonete de cachorro-quente a algumas quadras do clube. Sento-me em uma mesa perto de Jane, o quadril dela encostado no meu. Os casacos estão todos amontoados à nossa frente, ao lado de Tiny. O cabelo dela cai em grandes cachos sobre os ombros, e ela está usando uma blusa de alças finas nada apropriada ao clima, além de muita maquiagem nos olhos.

Porque este é um lugar de cachorro-quente muito chique, um garçom anota nossos pedidos. Jane e eu pedimos um cachorro-quente e um refrigerante cada um. Tiny pede quatro cachorros-quentes com pão, três sem, uma tigela de chilli e uma Coca diet.

— Uma Coca *diet*? — pergunta o garçom. — Você quer quatro cachorros-quentes com pão, três sem pão, uma tigela de chilli e uma Coca *diet*?

— Isso mesmo — diz Tiny, e então explica: — Açúcares simples não me ajudam a ganhar massa muscular.

E o garçom se limita a sacudir a cabeça e falar:

— Aham.

— Pobre do seu sistema digestivo — comento. — Um dia, ele vai se revoltar, subir e estrangular você.

— Sabe que o Treinador diz que idealmente eu deveria ganhar 15 quilos para o começo da próxima temporada, se eu quiser ganhar uma bolsa da Primeira Divisão? É preciso ser *grande*. E ganhar peso é muito difícil pra mim. Eu tento e tento, mas é uma batalha constante.

— Você tem mesmo uma vida muito dura, Tiny — diz Jane.

Eu rio, e nós trocamos olhares, e então Tiny fala:

— Ah, meu Deus, andem *logo* com isso.

O que leva a um silêncio desconfortável que dura até Jane perguntar:

— Então, cadê Gary e Nick?

— Provavelmente fazendo as pazes — diz Tiny. — Terminei com Nick ontem à noite.

— Fez a coisa certa. Estava condenado desde o início.

— Eu sei, está bem? Acho que quero ficar solteiro por um tempo.

Eu me viro para Jane e digo:

— Aposto cinco dólares como ele vai estar apaixonado em quatro horas.

Ela ri.

— Três horas. Fechado.

— Feito.

Trocamos um aperto de mão.

Depois de comer, andamos um pouco pela vizinhança pra matar o tempo e então entramos na fila diante do Storage Room. Faz frio do lado de fora, mas junto ao prédio, pelo menos, estamos protegidos do vento. Na fila, pego minha carteira, passo a identidade falsa pra frente e escondo a carteira de motorista verdadeira entre um cartão do seguro saúde e o cartão de visitas do meu pai.

— Deixe-me ver — pede Tiny, e entrego minha carteira a ele, que diz: — Puxa, Grayson, pela primeira vez na vida você não parece um baitola numa foto.

Pouco antes de chegarmos ao começo da fila, Tiny me empurra pra frente dele; acho que para ter o prazer de me ver usar a identidade pela primeira vez. O segurança usa uma camiseta que não chega a cobrir sua barriga.

— Identidade — diz ele pra mim.

Puxo a carteira do bolso de trás, tiro a identidade e a entrego. Ele dirige o feixe da lanterna pra ela, em seguida, o aponta pra mim, então de volta à identidade, e diz:

— O quê? Você acha que não sei fazer conta?

E eu resmungo:

— Hein?

E o segurança diz:

— Garoto, você tem 20 anos.

E eu digo:

— Não, tenho 22.

E ele me entrega a identidade e diz:

— Bem, sua maldita carteira de motorista diz que você tem 20.

Eu olho pra ela e faço o cálculo. Ela diz que faço 21 no próximo janeiro.

— Hã — murmuro. — É, sim. Desculpe.

Aquele maconheiro idiota e h-o-p-e-l-e-s-s pôs a porra do ano errado na minha identidade. Eu me afasto da entrada do clube, e Tiny me segue, morrendo de rir. Jane está dando risadinhas também. Tiny bate com muita força no meu ombro e diz:

— Só Grayson pra conseguir uma identidade falsa que diz que ele tem 20 anos. Totalmente inútil!

E eu reclamo com Jane:

— Seu amigo colocou o ano errado.

E ela diz:

— Sinto muito, Will. — Mas ela não pode sentir tanto assim, senão pararia de rir.

— Podemos tentar fazer você entrar — sugere Jane, mas eu simplesmente balanço a cabeça.

— Vão vocês — digo. — Me liguem quando acabar. Vou fazer hora no Frank's Franks ou em outro lugar. E, ah, me liguem se tocarem "Annus Miribalis".

E o que acontece é: eles vão. Eles simplesmente voltam para a fila, e eu os vejo entrar no clube, e nenhum deles nem sequer tenta dizer *não, não, não queremos ver o show sem você*.

Não me entendam mal. A banda é ótima. Mas ser preterido por causa dela é uma merda mesmo assim. Na fila, eu não tinha sentido frio, mas agora estou congelando. Está terrivelmente gelado do lado de fora, o tipo de frio em que respirar pelo nariz faz congelar o cérebro. E aqui estou eu sozinho com a porra da minha identidade inútil de cem dólares.

Volto andando até o Frank's Franks, peço um cachorro-quente e como lentamente. Mas sei que não posso ficar comendo esse cachorro-quente pelas duas ou três horas que eles ficarão por lá — não se pode degustar um cachorro-quente. Meu telefone está em cima da mesa, e fico olhando pra ele, torcendo estupidamente pra que Jane ou Tiny liguem. E, sentado aqui, vou ficando cada vez mais e mais puto. Essa é uma maneira horrível de se deixar alguém — sentado sozinho num restaurante — só olhando pro nada, sem nem mesmo um livro como companhia. Não só com Tiny e Jane; estou puto comigo mesmo, por deixá-los ir, por não verificar a data na identidade idiota, por ficar aqui sentado esperando que o telefone toque embora pudesse estar no carro, indo pra casa. E pensando bem, percebo que esse é o problema em ir pra onde você é empurrado: às vezes, você é empurrado até aqui.

Estou cansado de ir pra onde sou empurrado. Uma coisa é ser empurrado de um lado para o outro pelos meus pais. Mas Tiny Cooper me empurrar pra cima de Jane, e depois me empurrar pra uma identidade falsa, e depois rir do fracasso que resultou disso, e então me deixar aqui sozinho com um maldito cachorro-quente de segunda categoria quando eu nem sou muito fã de cachorros-quentes de primeira — isso é estupidez.

Posso vê-lo em minha mente, a cabeça gorda dele rindo. *Totalmente inútil. Totalmente inútil.* Nem tanto! Posso comprar cigarros, embora eu não fume. Posso até me registrar ilegalmente pra votar. Eu posso... Ah, ei. Hã. Bem, até que é uma ideia.

Na frente do Storage Room, tem esse lugar. Do tipo anúncio de néon e sem vitrines. Bem, eu não gosto particularmente de pornô — ou dos "Livros Adultos" prometidos pela placa do lado de fora da porta —, mas de jeito nenhum vou passar a noite toda no Frank's Franks *sem* usar minha identidade falsa. Não. Eu vou até a sex shop. Tiny Cooper não tem colhões pra entrar num lugar assim. De jeito nenhum. Estou pensando na história que vou ter quando Tiny e Jane saírem do show. Ponho uma nota de cinco em cima da mesa — uma gorjeta de cinquenta por cento — e ando as quatro quadras. À medida que me aproximo da porta, começo a me sentir ansioso — mas digo a mim mesmo que ficar do lado de fora no auge do inverno no centro de Chicago é muito mais perigoso do que qualquer estabelecimento pode ser.

Abro a porta e entro em uma sala muito iluminada com luz fluorescente. À minha esquerda, um cara com mais piercings que uma almofada de alfinetes está atrás de um balcão, me olhando.

— Você está dando uma olhada ou quer fichas? — pergunta.

Não tenho a menor ideia de que fichas são essas, então digo:

— Dando uma olhada?

— Ok. Em frente — responde ele.

— O quê?

— Vá em frente.

— Você não vai me pedir a identidade?

O sujeito ri.

— Por quê? Você tem 16 anos ou algo assim?

Ele acertou na mosca, mas digo:

— Não, tenho 20.

— Bem, então. Foi o que imaginei. Vá em frente.

E fico pensando: *Ah, meu Deus. Que dificuldade pode haver em conseguir usar uma identidade falsa nesta cidade? Isso é ridículo!* Não vou tolerar isso.

— Não — insisto. — Peça minha identidade.

— Está certo, cara. Se é isso que faz vibrar suas maracas. — E então, de forma dramática, ele pede: — Posso ver sua identidade, por favor?

— Sim — respondo, e a entrego a ele, que olha o documento, me devolve e diz:

— Obrigado, Ishmael.

— De nada — digo, exasperado. E então estou em uma sex shop.

É meio chato, na verdade. Parece uma loja comum — prateleiras de DVDs e antigas fitas de VHS e um rack de revistas, tudo sob esse ofuscante brilho fluorescente. Quero dizer, tem, sim, algumas diferenças de uma locadora comum, eu acho, como: A. Na locadora comum, muito poucos DVDs têm as palavras *comer* ou *vadia*, enquanto aqui o oposto parece ser o caso, e também: B. Tenho certeza de que a locadora comum não tem nenhum acessório para espancamento, enquanto nesse lugar existem vários. Além disso, C. Na locadora comum tem muito poucos itens à venda que fazem você pensar: "Não faço a menor ideia do que isso supostamente faz ou onde supostamente faz."

Afora o *Señor con Muchos Piercings*, o lugar se encontra vazio, e eu quero muito sair daqui porque essa é possivelmente a parte mais constrangedora e desagradável do que foi até aqui um dia bastante constrangedor e desagradável. Mas a incursão será completamente inútil se eu não comprar algo pra provar que estive aqui. Meu objetivo é encontrar o item que seja a prova mais engraçada, aquele que fará Tiny e Jane sentirem que eu tive uma noite divertida que eles podem apenas vislumbrar, e é como eu finalmente venho a me decidir por uma revista em espanhol chamada *Mano a Mano*.

capítulo seis

nesse momento, quero dar um salto à frente no tempo. ou, se isso não funcionar, fico com voltar no tempo.

quero saltar no tempo porque em vinte horas estarei com isaac em chicago, e estou disposto a pular tudo nesse meio-tempo pra chegar a ele mais rápido. não ligo se em dez horas eu ganhasse na loteria, ou se em 12 horas tivesse a chance de terminar mais cedo o ensino médio. não me importo se em 14 horas eu pudesse tocar uma punheta e ter o orgasmo mais revelador de toda a história não registrada. avançaria à frente de tudo isso pra estar com Isaac em vez de ter de me resignar a pensar nele.

quanto a voltar no tempo, é muito simples — quero voltar e matar o cara que inventou a matemática. por quê? porque neste exato momento estou na mesa do almoço e derek está dizendo

derek: você não está empolgado com as olimpíadas de matemática amanhã?

essas simples palavras — *olimpíadas de matemática* — fazem com que cada grama de anestesia que já coletei em meu corpo se esvaia imediatamente.

eu: puta que o p...

há quatro atletas de matemática em nossa escola. eu sou o número quatro. derek e simon são os números um e dois, e para participar das competições são necessários pelo menos quatro membros. (o número três é um calouro cujo nome eu deliberadamente esqueço. o lápis dele tem mais personalidade que ele.)

simon: você lembrava, não é?

ambos puseram os burgers de carne no prato (é assim que o cardápio da cantina chama os hambúrgueres — burgers de carne), e estão me olhando com expressões tão vazias que juro que posso ver as telas dos computadores refletidas em seus óculos.

eu: não sei. não estou me sentindo muito inclinado à matemática. talvez vocês devessem me subtrair...
derek: isso não tem graça.
eu: rá-rá! não era para ter!
simon: eu já disse — não precisa fazer nada. numa olimpíada de matemática, você entra como uma equipe, mas é julgado individualmente.
eu: vocês sabem que sou o maior apoiador de vocês nas olimpíadas de matemática. mas eu, hã, meio que fiz outros planos pra amanhã.
derek: não pode fazer isso.
simon: você disse que iria.
derek: prometo que vai ser divertido
simon: ninguém mais vai querer ir.

derek: *vamos nos divertir.*

posso ver que derek está chateado pois parece que está considerando ter uma breve resposta emocional aos estímulos informacionais que lhe estão sendo apresentados. talvez seja demais, porque ele larga o burger de carne, pega a bandeja, murmura algo sobre multas na biblioteca e deixa a mesa.

não há a menor dúvida na minha cabeça de que vou dar um bolo nesses caras. a única questão é se posso ou não fazer isso sem me sentir um merda. acho que é um sinal de desespero, mas resolvo contar a simon algo remotamente próximo à verdade.

eu: olhe, você sabe que normalmente eu estaria vibrando com a olimpíada. mas isso é tipo uma emergência. marquei um... acho que você pode chamar de encontro. e preciso muito, muito ver essa pessoa, que está vindo de muito longe pra me ver. e se houvesse alguma maneira de fazer isso e ir à competição de matemática com vocês, eu iria. mas não posso. é tipo... se um trem está viajando a 150 quilômetros por hora e ele precisa partir da competição de matemática e chegar ao meio de chicago em, assim, dois minutos para um encontro, nunca vai chegar a tempo. então, tenho de pular no expresso, porque os trilhos que levam ao encontro só estão sendo assentados dessa vez, e, se eu pegar o trem errado, vou ficar mais infeliz do que qualquer equação poderia explicar.

é uma sensação tão estranha contar isso a alguém, principalmente a simon.

simon: não importa. você disse que iria e precisa ir. esse é um caso em que quatro menos um é igual a zero.

eu: mas, simon...

simon: pare de se lamentar e encontre outro corpo quente pra colocar no carro do sr. nadler com a gente. ou até mesmo um corpo frio, se ele puder ser mantido na posição vertical por uma hora. seria bom pra variar ter alguém que saiba de fato somar, mas juro que não serei exigente, *seu traste*.

é incrível como em geral consigo chegar ao fim do dia sem perceber que não tenho muitos amigos. isto é, uma vez que você saia dos top cinco vai encontrar muito mais a equipe de manutenção do que membros do corpo de estudantes. e, embora o zelador jim não se importe se eu roubar um rolo de papel higiênico de vez em quando pra "projetos de arte", tenho a sensação de que ele não estaria disposto a perder a noite de sexta-feira numa viagem com os calculidiotas e suas tietes do corpo docente.

sei que só tenho uma chance, e essa não é das mais fáceis. maura esteve o dia todo de bom humor — bem, uma versão bem-humorada de maura, o que significa que a previsão anuncia chuvisco em vez de tempestade. ela não mencionara a história de ser ou não gay, e deus sabe que eu também não.

espero até a última aula, sabendo que, sob pressão, é mais provável que ela diga sim. embora estejamos sentados perto um do outro, pego o telefone e, debaixo da carteira, mando uma mensagem de texto pra ela.

eu: o q vc vai fazer amanhã à noite?

maura: nada. quer fazer alguma coisa?

eu: quem dera. tenho de ir a chicago com minha mãe.

maura: diversão?

eu: preciso que vc me substitua nas olimpíadas de matemática. senão s&d estão fodidos.

maura: vc está brincando, não é?

eu: não, eles vão estar fodidos mesmo.

maura: e pq eu iria?

eu: pq eu vou te dever 1. e vou te dar 20 pratas.

maura: me deve 3 e me paga 50.

eu: feito.

maura: estou salvando estas mensagens.

a verdade? provavelmente acabei de livrar maura de uma tarde passeando no shopping com a mãe, ou fazendo dever de casa, ou espetando uma caneta nas veias pra conseguir algum material pra poesia. depois das aulas, digo a ela que sem dúvida conhecerá um quarto elemento da equipe de alunos, um malandro de alguma cidade da qual nunca ouvimos falar, e os dois vão dar uma escapada pra fumar um cigarro de cravo e falar como todos os outros são estúpidos, enquanto derek e simon e aquele calouro idiota são esmagados em teoremas e rombazoides. na realidade, estou fazendo maravilhas pela vida social dela.

maura: não abusa.

eu: juro, vai ser legal.

maura: quero 20 pratas adiantadas.

fico feliz por não ter precisado mentir e dizer que ia visitar minha avó doente ou alguma coisa assim. esse tipo de mentira é perigoso, porque você sabe que, no minuto que disser que sua avó está doente, o telefone vai tocar, e sua mãe vai entrar no quarto com notícias muito ruins sobre o pâncreas da sua avó, e embora você saiba que mentirinhas brancas não causam câncer, ainda assim vai se sentir culpado pelo resto da vida. maura me faz mais perguntas sobre a viagem a chicago com minha mãe, e faço parecer que é pra passarmos mais tempo juntos, e como maura tem pai e mãe felizes, e eu tenho só uma mãe deprimida, ganho seu voto de simpatia. estou pensando tanto em isaac que fico completamente apavorado de deixar escapar o nome dele, mas felizmente o interesse de maura me mantém alerta.

quando chega a hora de ela seguir seu caminho e eu, o meu, ela faz mais uma tentativa pela verdade.

maura: tem alguma coisa que você queira me dizer?

eu: sim. quero te dizer que meu terceiro mamilo está produzindo leite e que as bandas da minha bunda estão ameaçando se sindicalizar. o que acha que devo fazer?

maura: tenho a sensação de que você não está me contando alguma coisa.

eis o problema com maura: tudo gira em torno dela. sempre. normalmente não me importo com isso, porque se tudo gira em torno dela, então nada precisa me dizer respeito. mas, às vezes, o apego dela aos holofotes me envolve e é isso que eu detesto.

ela está fazendo beicinho pra mim agora, e, a seu favor, trata-se de um beicinho genuíno. não que ela esteja tentando me manipular, fingindo estar aborrecida. maura não faz esse tipo de bobagem e é por isso que eu a tolero. posso dizer tudo na cara dela, e isso é valioso em um amigo.

eu: vou te contar quando tiver alguma coisa pra contar, ok? agora vá pra casa e estude matemática. aqui... fiz alguns fichamentos pra você memorizar.

procuro na mochila os fichamentos que fiz na sétima aula, meio que sabendo que maura diria sim. não são exatamente fichas, já que não ando por aí com um punhado de papéis de fichário na mochila pra fichar emergências. mas eu fiz umas linhas pontilhadas no papel de modo que ela vai saber onde cortar. cada um deles tem sua própria equação.

2 + 2 = 4
50 x 40 = 2000
834620 x 375002 = quem se importa com esta porra?
x + y = z
pau + xoxota = um casal homem-mulher feliz
azul + vermelho = roxo
eu - olimpíadas de matemática = eu + gratidão a você

maura olha pra eles por um segundo, então dobra o pedaço de papel seguindo as linhas pontilhadas, fazendo várias dobras, como um mapa. ela não sorri nem nada parecido, mas parece não puta comigo por um segundo.

eu: não deixe derek e simon ficarem muito animadinhos, ok? leve sempre uma proteção no bolso.

maura: acho que vou conseguir manter minha virgindade numa competição de matemática.

eu: você diz isso agora, mas vamos ver daqui a nove meses. se for uma menina, você deve chamá-la *logorreia*. se for um menino, escolha *trigo*.

e de fato me ocorre que, do jeito que a vida é, maura provavelmente *vai* conseguir algum cara gato incapacitado para a matemática pra colocar o mais dele no menos dela, enquanto dá tudo errado pra mim com isaac e eu volto pra casa, pro consolo da minha própria mão.

decido não dizer nada disso a maura, afinal, pra que agourar nós dois?

maura me dá um "bom-dia" de verdade antes de ir e parece ter mais alguma coisa a dizer, mas decidiu não fazê-lo. outra razão pra me deixar grato.

agradeço a ela outra vez. e outra vez. e outra vez.

com isso resolvido, sigo pra casa e troco e-mails com isaac assim que ele chega da escola — hoje ele não tem trabalho. repassamos nosso plano umas duas mil vezes. ele diz que um amigo sugeriu que nos encontrássemos em um lugar chamado frenchy's, e como não conheço chicago tanto assim, tirando os lugares aonde se vai nas excursões escolares, digo a ele que tudo bem por mim, e imprimo as instruções que ele me manda.

quando acabamos, vou ao facebook e olho seu perfil pela milésima milionésima vez. ele não o atualiza com muita frequência, mas é um lembrete suficientemente bom pra mim de que ele é real. quero dizer, nós trocamos fotos e conversamos o bastante pra que eu saiba que ele é real — não se trata de alguém de 46 anos que já preparou um lugar pra mim na traseira de sua van sem identificação. não sou tão idiota assim. vamos nos encontrar em um local público e vou estar com meu celular. mesmo que isaac tenha um surto psicótico, estarei preparado.

antes de ir dormir, olho todas as fotos que tenho dele, como se já não tivesse memorizado todas elas. tenho certeza de que vou reconhecê-lo no momento em que o vir. e tenho certeza de que será um dos melhores momentos da minha vida.

a tarde de sexta-feira após a escola é cruel. quero cometer um assassinato de umas mil maneiras diferentes, e é o meu armário a vítima. não tenho a menor ideia do que vestir — e eu *não* sou absolutamente o tipo de cara o-que-vou-usar, então é como se eu sequer compreendesse a tarefa diante de mim. cada maldita peça de roupa que tenho parece ter escolhido este exato momento pra revelar seus defeitos. visto essa camisa que sempre pensei que ficasse bem em mim, e de fato ela faz meu peito parecer ter alguma definição. mas então percebo que está tão pequena que, se eu levantar os braços um centímetro sequer, os pelos púbicos na minha barriga ficarão totalmente expostos. então experimento essa camisa preta que faz parecer que estou me esforçando muito para impressionar, e então essa camisa branca que está legal até eu encontrar uma mancha perto da bainha, que espero que seja suco de laranja, mas que é provavelmente de quando eu enfiei a camisa na calça sem balançar antes. camisetas de bandas são óbvias demais — se eu usar a camisa de uma das bandas favoritas dele, vou parecer puxa-saco, e se usar a de uma que ele não gosta, ele vai pensar que tenho mau gosto. minha camisa cinza de capuz está blergh demais, e essa camisa azul é praticamente da mesma cor do jeans, e usar azul da cabeça aos pés é algo que somente o come-come da Vila Sésamo pode fazer.

pela primeira vez na vida percebo uma outra utilidade para os cabides, quando, depois de 15 minutos experimentando coisas e jogando-as de lado, tudo que tenho vontade de fazer é pendurar um deles no alto da porta do armário, pôr meu pescoço no buraco e deixar meu peso cair. minha mãe vai chegar e pensar que se trata de uma prática de asfixia autoerótica em que nem mesmo tive tempo de pôr o pau pra fora, e não vou estar vivo pra dizer a ela que acho que a asfixia autoerótica é uma das coisas mais idiotas em todo o universo, lá no topo da lista, ao lado de republicanos gays. mas, sim, estarei morto. e vai ser como um episódio de *CSI*, e os investigadores virão e passarão 43 minutos mais comerciais vasculhando minha vida e no fim vão levar minha mãe até a delegacia e fazê-la sentar-se e lhe dizer a verdade.

policial: senhora, seu filho não foi assassinado. ele só estava se arrumando pra um primeiro encontro.

estou meio que sorrindo, imaginando como a cena seria filmada, e então me lembro de que estou sem camisa no meio do quarto, e que tenho um trem pra pegar. finalmente escolho essa camisa que tem uma figurinha de um robô feito com silver tape ou coisa parecida, com as palavras *garoto robô* em letras pequenas e minúsculas embaixo dela. não sei por que gosto dessa blusa, mas gosto. e não sei por que acho que isaac vai gostar, mas acho.

sei que devo estar nervoso, porque na verdade estou pensando *como está meu cabelo*, mas quando olho no espelho do banheiro, decido que ele vai ficar do jeito que quiser, e, como em geral ele fica melhor quando está ventando, vou simplesmente pôr a cabeça pra fora da janela do trem durante o percurso ou algo do gênero. eu poderia usar os produtos de cabelo da minha mãe, mas não tenho a menor vontade de cheirar como borboletas no campo. então, por fim, estou pronto.

disse à mamãe que a competição de matemática é em chicago — achei que, se era pra mentir, então ela poderia pensar que chegamos às finais estaduais. disse a ela que a escola havia fretado um ônibus, mas em vez disso sigo para a estação de trem, sem problemas. Meus nervos estão completamente em frangalhos a essa altura. tento ler *o sol é para todos* para a aula de inglês, mas é como se as letras fossem um belo desenho na página e não significassem mais para mim do que os padrões nos assentos do trem. poderia ser um filme de ação chamado *corra que o sol vai derreter!* e ainda assim eu não estaria prestando atenção. assim, fechei os olhos e fiquei ouvindo meu ipod, mas é como se ele tivesse sido programado por um cupido cruel, porque todas as músicas me fazem pensar em isaac. ele se tornou a pessoa de quem as canções falam. e embora parte de mim saiba que ele provavelmente vale a pena, outra parte está gritando pra mim: *mais devagar com essa porra.* embora vá ser emocionante ver isaac, também vai ser constrangedor. o importante será não deixar esse constrangimento tomar conta da gente.

levo cerca de cinco minutos pra pensar em meu histórico de encontros — cinco minutos é, de fato, todo o tempo que posso preencher — e sou levado de volta à traumática experiência de, bêbado, me pegar com carissa nye na festa de sloan mitchell alguns meses atrás. a parte dos beijos, na verdade, foi excitante, mas, quando ficou mais sério, o rosto dela exibindo aquela expressão estupidamente ardente, eu quase caí na gargalhada. tivemos alguns problemas sérios com o sutiã cortando a circulação do sangue para o cérebro, e quando eu finalmente tive os peitos dela nas minhas mãos (não que eu tivesse pedido isso), eu não sabia o que fazer com eles, exceto acariciá-los, como se fossem cachorrinhos. os cachorrinhos gostaram, e carissa resolveu me dar uma esfregada ou duas também, e eu gostei, porque quando se trata disso, mãos são mãos, e toque é toque, e seu corpo reage da maneira que seu corpo reage. ele não dá a mínima para a conversa que se vai ter depois — não só com carissa, que queria ser minha namorada e de quem tentei me desvencilhar suavemente, mas acabei magoando de qualquer maneira. não, também precisei lidar com maura, porque no momento em que ela soube o que aconteceu (não pela minha boca), ficou puta (exclusivamente comigo). disse que achava que carissa estava me usando, e agia como se pensasse que eu estava usando carissa, quando na verdade o negócio todo foi qualquer coisa, e independentemente de quantas vezes eu dissesse isso a maura, ela se recusava a me deixar em paz. durante semanas precisei aturar ela gritando "bem, por que você não liga pra carissa, então?" todas as vezes que discordávamos. só por isso, a pegação já não valeu a pena.

isaac, é claro, é completamente diferente. não só no aspecto do amasso. embora ele certamente exista. não estou indo pra capital só pra me pegar com ele. essa pode não ser a última coisa em minha mente, mas também não é nem de perto a primeira.

pensei que fosse chegar cedo, mas naturalmente, quando me aproximo do local aonde vamos nos encontrar, estou mais atrasado que a menstruação de uma grávida. caminho pela michigan avenue com as garotas e os garotos turistas a poucos minutos da hora de ir pra casa, e todos eles parecem que acabaram de sair de um treino de basquete ou de assistir a um jogo de basquete na tv. definitivamente dou uma olhada em alguns espécimes, mas é puramente pesquisa científica. pelos próximos, hã, dez minutos, posso me guardar pra isaac.

me pergunto se ele já está lá. se está tão nervoso quanto eu. se passou tanto tempo quanto eu escolhendo uma camisa. se por alguma aberração da natureza estaremos usando a mesma coisa. como se estivéssemos assim tão predestinados que deus decidisse tornar isso *totalmente* óbvio.

mãos suadas. *confere*. ossos trêmulos. *confere*. a sensação de que todo o oxigênio do ar foi substituído por gás hélio. *sim*. olho o mapa 15 vezes por segundo. faltam cinco quadras. faltam quatro quadras. faltam três quadras. faltam duas quadras. state street. a esquina. à procura da frenchy's. pensando que vai ser uma lanchonete fashion. ou um café. ou uma loja de discos independentes. ou mesmo um restaurante decadente.

então chegando lá e descobrindo... é uma sex shop.

pensando que talvez a sex shop tenha recebido o nome de algum estabelecimento próximo. talvez esse seja o bairro frenchy's, e tudo tenha o nome frenchy's, como quando se vai ao centro da cidade e se encontra a lanchonete do centro e a lavanderia do centro e o instituto de ioga do centro. mas não. dou a volta no quarteirão. tento o outro lado. verifico o endereço várias vezes.

e lá estou eu. de volta àquela porta.

lembro que foi o amigo de isaac que sugeriu o lugar. ou pelo menos foi o que ele disse. se isso é verdade, talvez seja uma piada e o pobre isaac chegou aqui primeiro e está à minha espera lá dentro, mortificado. ou talvez seja algum tipo de teste cósmico. tenho de atravessar o rio de extremo constrangimento a fim de alcançar o paraíso do outro lado.

que se foda, concluo.

com o vento frio soprando à minha volta, eu entro.

capítulo sete

Ouço o *bing* eletrônico, me viro e vejo um garoto entrando. Naturalmente, não lhe pedem a identidade, e, embora ele esteja no lado peludo da puberdade, não existe a menor chance de ele ter 18 anos. Pequeno, de olhos arregalados, muito louro e absolutamente apavorado — tão assustado quanto eu provavelmente estaria se já não tivesse sido levado ao limite pela conspiração anti-Will Grayson envolvendo A. Jane, B. Tiny, C. O espécime cheio de piercings atrás do balcão e D. O Sr. McCópia chapadão.

Mas, de qualquer forma, o garoto está me olhando com um nível de intensidade que acho muito perturbador, sobretudo levando-se em conta o fato de eu estar segurando um exemplar da *Mano a Mano*. Tenho certeza de que existem várias maneiras fantásticas de indicar ao estranho menor de idade de pé ao lado da Grande Muralha de Vibradores que eu, na verdade, não sou fã da *Mano a Mano*, mas a estratégia particular que escolho é murmurar: "É, hã, para um amigo." O que é verdade, mas A. Não é uma desculpa muito convincente, e B. Ela sugere que sou o tipo de cara que é amigo do tipo de cara que gosta da *Mano a Mano*, e sugere ainda que C. Sou o tipo de cara que compra revistas pornô para os amigos. Logo depois de dizer "É para um amigo", me dou conta de que deveria ter dito: "Estou tentando aprender espanhol."

O garoto continua a me olhar, e, após alguns instantes, estreita os olhos, forçando a visão. Sustento o olhar dele por alguns segundos, mas em seguida desvio. Por fim, ele passa por mim e entra no corredor dos vídeos. Parece que está procurando por alguma coisa específica, e que essa coisa específica não está relacionada a sexo, e, nesse caso, suspeito que não vai encontrá-la aqui. Ele serpenteia na direção dos fundos da loja, onde se vê uma porta aberta, a qual acredito que deva estar de alguma forma ligada às "fichas". Tudo que quero é dar o fora daqui com meu exemplar de *Mano a Mano*, então vou até o cara dos piercings e digo:

— É só isso, por favor.

Ele registra na caixa.

— Nove e oitenta e três — diz.

— Nove DÓLARES? — pergunto, incrédulo.

— E oitenta e três centavos — acrescenta ele.

Balanço a cabeça. Essa brincadeira está ficando extraordinariamente cara, mas não vou voltar para o bizarro rack de revistas e procurar uma pechincha. Vasculho os bolsos e reúno algo perto de quatro dólares. Suspiro, e então levo a mão ao bolso traseiro e entrego ao cara meu cartão de débito. Meus pais olham o extrato, mas não vão distinguir *Frenchy's* de *Denny's*.

O sujeito olha o cartão. Olha pra mim. Olha o cartão. Olha pra mim. E um segundo antes de ele falar, eu me dou conta: meu cartão diz William Grayson. Minha identidade diz Ishmael J. Biafra.

Bem alto, o cara diz:

— William. Grayson. William. Grayson. Onde *foi* que eu vi esse nome antes? Ah, certo. NÃO foi na sua carteira de motorista.

Pondero minhas opções por um instante e então digo, bem baixinho:

— O cartão é meu. Eu sei a senha. Apenas... registre.

Ele passa o cartão pela máquina e diz:

— Não tô nem aí, garoto. O dinheiro é o mesmo.

E, nesse exato momento, sinto o garoto logo atrás de mim, me olhando outra vez, e então eu faço meia-volta, e ele diz:

— O que você disse?

Só que não está falando comigo, está falando com o Piercings.

— Eu disse que não tô nem aí pra identidade dele.

— Você não me chamou?

— De que porra você tá falando, garoto?

— William Grayson. Você falou William Grayson? Alguém aqui me chamou?

— Hã? Não, garoto. William Grayson é esse cara aqui — diz ele, me apontando com a cabeça. — Bem, há duas correntes de pensamento, creio, mas é o que diz *neste* cartão.

E o garoto me olha confuso por um instante e por fim pergunta:

— Qual é o seu nome?

Isso está me apavorando. A Frenchy's não é um lugar para *conversas*. Assim, digo simplesmente para o Piercings:

— Você pode me dar a revista? — E Piercings a entrega a mim em uma sacola plástica de um preto completamente opaco e sem identificação, pela qual me sinto muito grato, e em seguida me dá o cartão e a nota fiscal. Saio pela porta, corro meia quadra pela Clark e então me sento no meio-fio e espero meu pulso desacelerar.

O que está começando a acontecer quando meu companheiro menor de idade e peregrino na Frenchy's vem correndo até mim e pergunta:

— Quem *é* você?

Eu me levanto e respondo:

— Hã, eu sou Will Grayson.

— W-I-L-L G-R-A-Y-S-O-N? — pergunta, soletrando impossivelmente rápido.

— Hã, sim — digo. — Por que a pergunta?

O garoto me olha por um segundo, a cabeça inclinada, como se pensasse que eu poderia estar passando um trote nele. Então finalmente diz:

— Porque eu também sou Will Grayson.

— Tá de sacanagem? — pergunto.

— Não — diz o cara.

Não consigo decidir se ele é paranoico ou esquizofrênico, ou ambos, mas nesse momento ele puxa uma carteira emendada com silver tape do bolso traseiro e me mostra uma carteira de motorista do Illinois. Nossos nomes do meio, pelo menos, são diferentes, mas... sim.

— Bem — digo —, foi bom te conhecer. — E começo a me afastar, porque, nada contra o cara, mas não quero puxar assunto com alguém que frequenta lojas pornôs, mesmo que, tecnicamente falando, eu mesmo seja um cara que frequenta lojas pornôs. Mas ele toca o meu braço, e parece pequeno demais pra ser *perigoso*, então torno a me virar e ele pergunta:

— Você conhece Isaac?

— Quem?

— Isaac?

— Não conheço nenhum Isaac, cara — digo.

— Era para eu encontrá-lo naquele lugar, mas ele não está lá. Você não se parece com ele, mas pensei... Eu não sei o que pensei. Como é que... Que diabos está acontecendo? — O garoto gira em um círculo rápido, como se estivesse procurando um cameraman ou coisa parecida. — Foi Isaac quem mandou você fazer isso?

— Acabei de dizer, cara: não conheço nenhum Isaac.

Ele se vira outra vez, mas não tem ninguém atrás dele. Ele ergue os braços para o ar e diz:

— Eu não sei nem *sobre o que* surtar agora.

— Esse está sendo um dia maluco pra Will Graysons por toda parte — observo.

Ele balança a cabeça e então se senta no meio-fio, e eu o acompanho, pois não há mais nada a fazer. Ele me examina com atenção, então desvia os olhos, e depois me olha de novo. E aí dá um beliscão de verdade no próprio braço.

— É claro que não. Meus sonhos não são tão estranhos assim.

— É — digo. Não consigo descobrir se ele quer que eu fale com ele, e também não consigo descobrir se quero falar com ele, mas, passado um minuto, digo: — Então, hã, como você conheceu o Isaac me-encontre-na-sex-shop?

— Ele é só... um amigo. Nos conhecemos na internet faz muito tempo.

— Na internet?

Se é que é possível, Will Grayson consegue encolher-se ainda mais. Com os ombros curvados, fita com intensidade a sarjeta da rua. Eu sei, naturalmente, que existem outros Will Graysons. Já joguei meu nome no Google suficientes vezes pra saber disso. Mas nunca pensei que fosse ver um. Por fim, ele diz:

— É.

— Você nunca viu esse cara pessoalmente? — insisto.

— Não — confirma ele —, mas já o vi, assim, numas mil fotos.

— Ele é um homem de 50 anos — digo assertivamente. — Um pervertido. De um Will pra outro: não tem a menor chance de Isaac ser quem você pensa que ele é.

— Ele provavelmente só... Eu não sei, talvez tenha encontrado outra droga de Isaac no ônibus e esteja preso no Mundo Bizarro.

— Por que diabos ele te pediria que fosse para a Frenchy's?

— Boa pergunta. Por que alguém iria a uma sex shop? — Ele me dirige um sorriso um pouco presunçoso.

— Boa pergunta — observo. — Sim, é verdade. Mas tem uma história por trás disso.

Espero um segundo para que Will Grayson me pergunte sobre a minha história, mas ele não pergunta. Então começo a contar assim mesmo. Conto a ele sobre Jane, Tiny Cooper e os Maybe Dead Cats e "Annus Miribalis", e o segredo do armário de Jane e o atendente da loja copiadora que não sabia contar, e arranco dele algumas risadas ao longo da história, mas na maior parte do tempo ele fica lançando olhares para a Frenchy's, à espera de Isaac. O rosto dele parece alternar entre esperança e raiva. Na verdade, ele presta muito pouca atenção em mim, o que eu acho ok, de verdade, porque só estou contando minha história para ele por contar, falando com um estranho porque essa é a única maneira segura de falar, e o tempo inteiro mantenho a mão no bolso, segurando o celular, porque quero ter certeza de que vou senti-lo vibrando se alguém ligar.

E então ele me conta sobre Isaac, que são amigos há um ano, e que ele sempre quis encontrá-lo porque não existe ninguém igual a Isaac no subúrbio onde ele mora, e logo me ocorre que Will Grayson gosta de Isaac de uma maneira não-completamente-platônica.

— Então eu pergunto: que pervertido de 50 anos faria isso? — diz Will. — Que pervertido passaria um ano de sua vida conversando comigo, me contando tudo sobre seu eu falso, enquanto conto a ele tudo sobre meu eu real? E se um pervertido de 50 anos fez isso, por que não apareceu na Frenchy's pra me estuprar e matar? Mesmo numa noite totalmente impossível, isso é *totalmente impossível*.

Reflito sobre isso por um segundo.

— Não sei — respondo, por fim. — As pessoas são estranhas pra cacete, caso você não tenha percebido.

— É. — Ele não está mais olhando a todo instante para a entrada da Frenchy's, apenas pra frente. Posso vê-lo com o canto do olho, e tenho certeza de que ele pode me ver com o canto do seu, mas na maior parte do tempo não estamos olhando um para o outro, e sim para o mesmo ponto na rua, onde os carros passam, barulhentos, meu cérebro tentando dar um sentido a todas as impossibilidades, todas as coincidências que me trouxeram aqui, todas as coisas falsas-e-verdadeiras. E ficamos em silêncio por um tempo tão longo que tiro o celular do bolso, olho pra ele e confirmo que ninguém ligou, então torno a guardá-lo, e aí finalmente sinto Will desviando o olhar do tal ponto na rua e voltando-o pra mim, até dizer:

— O que você acha que isso significa?

— O quê? — pergunto.

— Não existem tantos Will Graysons assim — diz. — Tem de significar alguma coisa, um Will Grayson encontrar outro Will Grayson em uma sex shop aleatória que nenhum dos dois Will Graysons frequenta.

— Você está sugerindo que Deus levou dois Will Graysons de Chicagoland, menores de idade, até a Frenchy's ao mesmo tempo?

— Não, babaca — continua ele —, mas quero dizer que isso deve significar *alguma coisa*.

— Sim — retruco. — É difícil acreditar em coincidências, porém é ainda mais difícil acreditar em outra coisa. — Nesse exato momento, o celular ganha vida na minha mão, e, quando o estou tirando do bolso, o telefone de Will Grayson começa a tocar.

E, até mesmo pra mim, isso é coincidência demais. Ele murmura: "Meu Deus, é Maura" como se eu fosse saber quem é Maura, e fica olhando o aparelho, parecendo não ter certeza se deve ou não atender. Minha ligação é de Tiny. Antes de abrir o telefone, digo a Will:

— É meu amigo Tiny. — E estou olhando pra Will; para o fofo e perdido Will.

Abro o telefone.

— Grayson! — berra Tiny acima do barulho da música. — Estou apaixonado por esta banda! Vamos ficar mais umas duas músicas e então vou aí pegar você. Onde você está, baby? Onde está meu lindo bebezinho Grayson?

— Estou do outro lado da rua — grito de volta. — E é melhor você se ajoelhar e agradecer ao doce Senhor, porque, Tiny, eu tenho um cara pra você.

capítulo oito

estou surtando tanto que se tirassem um palhaço do meu rabo eu não ficaria nada surpreso.

talvez tudo fizesse um pouco de sentido se esse OUTRO WILL GRAYSON que se encontra bem ao meu lado não fosse absolutamente um will grayson, mas em vez disso o campeão medalha de ouro das olimpíadas da loucura. não que ao vê-lo pela primeira vez eu tivesse pensado comigo mesmo: *ei, o nome daquele garoto deve ser will grayson também.* não, a única coisa que pensei foi: *ei, esse não é isaac.* a idade certa, mas o rosto completamente errado. então o ignorei. voltei-me para o dvd que fingia examinar, de um filme pornô intitulado *o som e a fera.* era sobre "sexo animal", com umas pessoas na capa usando fantasias de vaca (um úbere). fiquei feliz que nenhuma vaca de verdade houvesse sido machucada (ou saciada) durante as filmagens. ainda assim. não é a minha praia. ao lado dele estava um dvd intitulado *transando no leito de morte*, que tinha uma cena de hospital na capa. era como *grey's anatomy*, só que com menos grey e mais anatomy. pensei por um instante: *mal posso esperar pra contar isso a isaac,* esquecendo, é claro, que ele deveria estar aqui comigo.

não que eu pudesse não tê-lo visto entrar; o lugar estava vazio, exceto por mim, o.w.g., e o atendente, que parecia o pillsbury doughboy, o bonequinho de massa da pillsbury company, se a massa tivesse ficado fora da geladeira por uma semana inteira. creio que todas as outras pessoas usavam a internet para obter seus produtos pornôs. e a frenchy's não era exatamente convidativa — tinha a iluminação de uma loja de conveniências, que fazia todo o plástico parecer muito mais plástico e o metal parecer muito mais metálico, e as pessoas nuas nas capas dos dvds parecerem ainda menos sensuais e mais com pornografia barata. passando por *boquete em moisés* e *deleite vespertino em agosto*, eu me vi nessa bizarra seção de itens em formato de pênis. como minha mente é, no fundo, cheia de merda, comecei imediatamente a imaginar uma sequência de *toy story* intitulada *sex toy story*, na qual todos esses consolos e vibradores subitamente ganham vida e têm de fazer coisas como atravessar a rua a fim de voltar pra casa.

mais uma vez, enquanto todos esses pensamentos me ocorriam, eu também pensava em dividi-los com isaac. esse era o meu ponto fraco.

minha atenção só foi desviada quando ouvi meu nome ser dito pelo cara atrás do balcão. que foi como encontrei o.w.g.

portanto, é isso: vou a uma sex shop para encontrar isaac e, em vez disso, o que consigo é outro will grayson.

deus, você é uma porra de um babaca.

naturalmente, nesse momento isaac está galgando os degraus da babaquice também. minha esperança é de que, na verdade, ele seja um filho da puta dominado pelo nervosismo — tipo, quem sabe ele apareceu e descobriu que o lugar que seu amigo recomendou era uma sex shop e ficou tão mortificado que fugiu dali, chorando. isso é possível. ou talvez ele esteja apenas atrasado. tenho de dar a ele pelo menos uma hora. o trem pode ter ficado preso em um túnel ou alguma coisa assim. não seria a primeira vez. ele está vindo de ohio, afinal. as pessoas de ohio se atrasam o tempo todo.

meu telefone toca praticamente ao mesmo tempo que o de o.w.g... embora seja pateticamente improvável que vá ser isaac, minhas esperanças ainda se elevam.

então vejo que é maura.

eu: meu deus, é maura.

a princípio, decido não atender, mas então o.w.g. atende o dele.

o.w.g.: é meu amigo tiny.

se o.w.g. vai atender o dele, concluo que é melhor eu atender o meu também. além disso, lembro que maura me fez um favor hoje. se mais tarde eu souber que a competição das olimpíadas de matemática foi atacada por um esquadrão de nerds de humanas frustrados brandindo uzis, vou me sentir culpado por não ter atendido o telefone e dado a chance de maura dizer adeus.

eu: rápido — qual a raiz quadrada da minha cueca?
maura: oi, will.
eu: essa resposta lhe concede zero ponto.
maura: como está chicago?
eu: absolutamente sem vento!
maura: o que você está fazendo?
eu: ah, estou de papo com will grayson.

maura: foi o que pensei.

eu: como assim?

maura: cadê a sua mãe?

uh-oh. isso cheira a armadilha. será que maura ligou pra minha casa? será que falou com minha mãe? movimento do pedal, marcha ré!

eu: por acaso sou babá da minha mãe? (rá tá)

maura: pare de mentir, will.

eu: ok, ok. eu meio que precisava dar uma escapada sozinho. pra ir a um show mais tarde.

maura: que show?

porra! não consigo lembrar a que show o.w.g. disse que ia. e ele ainda está ao telefone, então não posso perguntar.

eu: uma banda da qual você nunca ouviu falar.

maura: experimenta me dizer.

eu: hã, é esse o nome deles. "uma banda da qual você nunca ouviu falar".

maura: ah, eu já ouvi falar deles.

eu: aham.

maura: acabei de ler uma resenha do álbum deles na *spin*.

eu: legal.

maura: é, o nome do álbum é "isaac não vem, seu filho da puta mentiroso".

isso não é bom.

eu: esse é um nome bem idiota pra um disco.

como? como como como?

maura: desista, will.
eu: minha senha.
maura: o quê?
eu: você hackeou a minha senha. você vem lendo meus
e-mails, não é?
maura: do que você está falando?
eu: de isaac. como você sabe do meu encontro com isaac?

ela devia ter espiado enquanto eu verificava meu e-mail na
escola. devia ter visto as teclas que digitei. ela roubou a droga
da minha senha.

maura: eu *sou* isaac, will.
eu: não seja idiota. ele é um cara.
maura: não é não. ele é um perfil. eu o criei.
eu: tá, sei.
maura: fui eu quem o criou.

não. não não não não não não não não não não não não não não.

eu: o quê?

não por favor nada de o quê não não por favor não porra
não NÃO.

maura: isaac não existe. nunca existiu.

eu: você não pode...

maura: você cai tão fácil.

EU CAIO tão fácil*?!?*

PUTA QUE PARIU.

eu: diga que você está brincando.

maura: ...

eu: isto não está acontecendo.

o outro will grayson encerrou a ligação e está me olhando.

o.w.g.: você está bem?

está chegando. aquele momento de "uma bigorna acabou mesmo de cair na minha cabeça?" passou e estou sentindo. ah senhor estou sentindo a bigorna.

eu: sua. puta. desprezível.

sim, as sinapses estão transmitindo a informação agora. atualizações: isaac nunca existiu. era só sua amiga se fazendo passar por ele. era tudo uma mentira.

tudo uma mentira.

eu: sua. piranha. horrorosa.

maura: por que garotas nunca são chamadas de bundões?

eu: não vou insultar as bundas assim. elas pelo menos servem a um propósito.

maura: olhe, eu sabia que você ia ficar com raiva...

eu: você *SABIA* que eu ia ficar com *RAIVA*!?!

maura: eu ia te contar.

eu: nossa, obrigado.

maura: mas você não me contou.

o.w.g. está parecendo muito preocupado agora. então cubro o telefone com a mão por um segundo e falo com ele.

eu: na verdade, eu não estou nada bem. provavelmente estou vivendo o pior minuto da minha vida. não vá embora.

o.w.g. faz que sim com a cabeça.

maura: will? olhe, desculpe.

eu: ...

maura: você não achou de fato que ele ia te encontrar em uma sex shop, achou?

eu: ...

maura: foi uma piada.

eu: ...

maura: will?

eu: é só meu respeito pelos seus pais que vai me impedir de te assassinar imediatamente. mas por favor entenda uma coisa: eu nunca, jamais vou falar com você, passar bilhetinhos, mandar mensagem ou falar por nenhuma porra de linguagem de sinais outra vez. prefiro comer merda de cachorro cheia de gilete do que ter alguma coisa a ver com você.

termino a ligação antes que ela possa dizer mais alguma coisa. desligo o telefone. me sento no meio-fio. fecho os olhos. e grito. se todo o meu mundo vai despencar à minha volta, então vou fazer o barulho correspondente. quero gritar até todos os meus ossos se partirem.

uma vez. duas. mais outra.

então paro. sinto as lágrimas, e torço para que, se eu mantiver os olhos fechados, possa contê-las dentro de mim. estou tão além do patético que quero abrir os olhos e ver isaac ali, ouvi-lo dizer que maura está maluca. ou ouvir o outro will grayson me dizer que isso, também, pode ser descartado como coincidência. é *ele* de fato o will grayson para quem maura vem enviando e-mails. ela confundiu os will graysons.

mas a realidade. bem, a realidade é a bigorna.

respiro fundo e, pelo som, pareço entupido.

o tempo todo.

o tempo todo era maura.

não isaac.

não isaac.

nunca.

tem mágoa. tem dor. e tem mágoa-e-dor-ao-mesmo-tempo.

estou sentindo mágoa-e-dor-ao-mesmo-tempo.

o.w.g.: hã... will?

pela cara dele, a mágoa-e-dor-ao-mesmo-tempo pode ser vista muito claramente em meu rosto.

eu: sabe aquele cara que eu ia encontrar?
o.w.g.: isaac.
eu: pois é, isaac. bem, acabou que ele não era um cara de 50 anos. era minha amiga maura, fazendo uma brincadeira.
o.w.g.: uma puta de uma piada maldosa.
eu: sim. estou sentindo isso.

não tenho a menor ideia se estou falando com ele porque ele também se chama will grayson ou se porque me contou um pouco do que está acontecendo com ele ou se porque ele é a única pessoa no mundo disposta a me ouvir neste momento. todos os meus instintos estão me dizendo para me enrolar numa bola bem pequena e rolar para o esgoto mais próximo — mas não quero fazer isso com o.w.g... sinto que ele merece mais do que ser uma testemunha ocular de minha autodestruição.

eu: alguma coisa assim já aconteceu com você?

o.w.g. faz que não com a cabeça.

o.w.g.: receio que estejamos em terreno novo aqui. meu melhor amigo, tiny, uma vez ia me inscrever no concurso garoto do mês da revista *seventeen* sem me contar, mas não creio que seja a mesma coisa.

eu: como você descobriu?

o.w.g.: ele achou que o texto precisava ser revisado, então me pediu pra fazer isso.

eu: você ganhou?

o.w.g.: eu disse a ele que enviaria para a revista e então guardei. ele ficou arrasado por eu não ter ganhado... mas acho que teria sido pior se isso tivesse acontecido.

eu: você poderia ter conhecido a miley cyrus. jane teria morrido de ciúme.

o.w.g.: acho que antes jane teria morrido de rir.

não posso evitar — imagino isaac rindo também.

e então tenho que matar essa imagem.

porque isaac não existe.

tenho a sensação de que vou perder o controle outra vez.

eu: por quê?

o.w.g.: por que jane morreria de rir?

eu: não, por que maura faria isso?

o.w.g.: sinceramente, não sei.

maura. isaac.

isaac. maura.

bigorna.

bigorna.

bigorna.

eu: sabe o que é uma merda no amor?

o.w.g.: o quê?

eu: o fato de estar tão ligado à verdade.

as lágrimas estão começando a voltar. porque essa dor
— sei que estou desistindo de tudo. isaac. esperança. o futuro. aqueles sentimentos. aquela palavra. estou desistindo de
tudo, e isso dói.

o.w.g.: will?
eu: acho que tenho de fechar os olhos por um minuto e
sentir o que preciso sentir.

fecho os olhos, fecho meu corpo, tento excluir tudo mais.
percebo o.w.g. se levantando. queria que ele fosse isaac, embora saiba que ele não é. queria que maura não fosse isaac,
embora saiba que ela é. queria ser outra pessoa, embora saiba
que nunca, jamais vou conseguir escapar do que fiz e do que
foi feito comigo.

senhor, me mande amnésia. me faça esquecer cada momento que na verdade eu jamais tive com isaac. me faça esquecer que maura existe. deve ter sido isso que minha mãe
sentiu quando meu pai disse que estava tudo acabado. agora eu entendo. eu entendo. as coisas que você mais quer são
aquelas que te destroem no fim.

ouço o.w.g. falando com alguém. uma recapitulação sus-
surrada de tudo que acabou de acontecer.

ouço passos se aproximando. tento me acalmar um pouco, então abro os olhos... e vejo esse cara *gigantesco* de pé na
minha frente. quando ele vê que o estou vendo, dá um sorriso
enorme. ele tem covinhas do tamanho da cabeça de um bebê,
eu juro.

cara gigantesco: olá. eu sou o tiny.

ele estende a mão. não estou exatamente no estado de espírito para apertos de mão, mas vai ser desagradável se eu simplesmente deixá-lo ali, então estendo a minha mão também. no entanto, em vez de apertá-la, ele me puxa e me faz ficar de pé.

tiny: alguém morreu?
eu: sim, eu.

ele sorri outra vez.

tiny: bem, então... bem-vindo à vida após a morte.

capítulo nove

Pode-se falar muitas coisas ruins sobre Tiny Cooper. Eu sei, porque já falei. Mas, pra um cara que não sabe absolutamente nada sobre como conduzir os próprios relacionamentos, Tiny Cooper é quase brilhante quando se trata de lidar com o coração partido das outras pessoas. Tiny é como uma esponja gigante sugando a dor do amor perdido aonde quer que vá. E é assim com Will Grayson. O outro Will Grayson, eu quero dizer.

Jane está uma loja adiante, num vão de porta, falando ao telefone. Olho pra ela, mas ela não está olhando pra mim, e me pergunto se eles tocaram a música. Uma coisa que Will — o outro Will — falou pouco antes de Tiny e Jane chegarem fica dando voltas na minha cabeça: o amor está ligado à verdade. Penso neles como gêmeos tristemente unidos.

— Obviamente — diz Tiny — ela não passa de uma pilha quente e fumegante de merda, mas, mesmo assim, dou a ela todo o crédito pelo nome. *Isaac. Isaac.* Eu quase poderia me apaixonar por uma garota, se o nome dela fosse *Isaac.*

O outro Will Grayson não ri, mas Tiny não se abala.

— Você deve ter ficado apavorado quando percebeu que era uma sex shop, certo? Tipo, quem quer encontrar alguém *ali.*

— E justamente quando seu xará está comprando uma revista — completo, erguendo a sacola preta e pensando que Tiny irá puxá-la e checar minha compra.

Mas ele não faz isso. Ele simplesmente diz:

— Isso é ainda pior que o que aconteceu comigo e Tommy.

— O que aconteceu com você e Tommy? — pergunta Will.

— Ele disse que era louro natural, mas a tintura dele era tão ruim que parecia um cabelo de boneca; como o da Barbie. Além disso, Tommy não era apelido de *Tomás*, como ele me contou. Era do velho e banal Thomas.

Will diz:

— É, isso é pior. Muito pior.

Obviamente não tenho muito com que contribuir para a conversa, e, de qualquer forma, Tiny está agindo como se eu não existisse, então sorrio e digo:

— Vou deixar vocês dois sozinhos agora. — E então olho para o outro Will Grayson, que está meio que oscilando, como se pudesse cair se o vento aumentasse. Tenho vontade de dizer alguma coisa, pois sinto muito por ele, de verdade, mas nunca sei o que dizer. Assim, digo apenas o que estou pensando. — Sei que é uma merda, mas, num certo sentido, é bom.

Ele me olha como se eu tivesse acabado de dizer alguma coisa absolutamente idiota, o que é claro que fiz.

— O amor e a verdade ligados um ao outro, quero dizer. Eles tornam um ao outro possível, sabe?

O garoto me dirige mais ou menos um oitavo de um sorriso e então se volta pra Tiny, que — para ser justo — é obviamente o melhor terapeuta. A sacola preta com a *Mano a Mano* não parece mais engraçada, então eu simplesmente largo ela no chão perto de Tiny e de Will. Eles sequer percebem.

Jane agora está no meio-fio, na ponta dos pés, quase inclinada para a rua entulhada de táxis. Um grupo de universitários passa e olha pra ela, um erguendo as sobrancelhas para o outro. Ainda estou pensando na ligação entre o amor e a verdade — o que me faz ter vontade de contar a verdade pra ela (a verdade completa, contraditória) porque, caso contrário, num certo nível, não sou igual àquela garota? Não sou igual à garota fingindo ser Isaac?

Vou até ela e tento tocar em seu cotovelo, mas meu toque é leve demais e só atinjo o casaco. Ela se volta pra mim e vejo que ainda está no celular. Faço um gesto que tem a intenção de dizer: "Ei, não tem pressa, fale o quanto quiser", mas que provavelmente significa: "Ei, olha pra mim! Minhas mãos estão tendo espasmos." Jane ergue um dedo. Faço que sim com a cabeça. Ela fala suave, docemente no telefone: "Sim, eu sei. Eu também."

Dou um passo atrás, cruzando a calçada, e me recosto na parede de tijolos entre a Frenchy's e um restaurante japonês fechado. À minha direita, Will e Tiny conversam. À minha esquerda, Jane conversa. Pego o telefone, como se fosse mandar uma mensagem de texto, mas simplesmente percorro minha lista de contatos. Clint. Jane. Mamãe. Papai. Pessoas de quem já fui amigo. Pessoas que são simples conhecidas. Tiny. Nada depois do *T*. Não é muito para um telefone que tenho há três anos.

— Oi — diz Jane. Levanto os olhos, fecho o telefone e sorrio pra ela. — Desculpe pelo show.

— Ah, tudo bem — respondo, porque está tudo bem mesmo.

— Quem é o cara? — pergunta ela, apontando.

— Will Grayson — digo.

Ela me olha, estreitando os olhos, confusa.

— Conheci um cara chamado Will Grayson naquela sex shop — conto. — Fui lá pra usar minha identidade falsa, e ele foi lá encontrar o namorado falso.

— Meu Deus, se eu soubesse que isso ia acontecer, teria desistido do show.

— É — digo, tentando não parecer chateado. — Vamos dar uma volta.

Ela concorda. Caminhamos na direção da Michigan Avenue, a Magnificent Mile, endereço de todas as maiores lojas de Chicago. A essa hora, está tudo fechado e os turistas que inundam as amplas calçadas durante o dia já voltaram para seus hotéis, cinquenta andares acima de nós. Os sem-teto que mendigam junto aos turistas também se foram, e somos praticamente apenas Jane e eu. Não se pode dizer a verdade sem falar, então estou contando a ela toda a história, tentando fazê-la parecer engraçada, tentando fazê-la mais grandiosa que qualquer show dos MDC poderia ser. E, quando termino, faz-se uma pausa e ela diz:

— Posso te fazer uma pergunta aleatória?

— Claro.

Estamos passando pela Tiffany, e eu paro por um segundo. As luzes pálidas da rua iluminam a frente da loja apenas o suficiente para que, através do vidro triplo e de uma grade de segurança, eu possa ver uma vitrine vazia — a silhueta de um pescoço de veludo cinza, sem nenhuma joia.

— Você acredita em revelações? — pergunta. Recomeçamos a andar.

— Hã, pode traduzir a pergunta?

— Tipo, você acredita que a atitude das pessoas possa mudar? Um dia você acorda e percebe alguma coisa de uma forma como nunca viu antes, e bum, uma revelação. Alguma coisa está diferente para sempre. Você acredita nisso?

— Não — digo. — Não acredito que nada aconteça de repente. Tiny, por exemplo? Você acha que Tiny se apaixona todos os dias? De jeito nenhum. Ele *acha* que sim, mas, na verdade, não se apaixona. Quero dizer, qualquer coisa que aconteça de repente provavelmente vai *des*acontecer de repente, sabe?

Ela não diz nada por algum tempo. Apenas anda. Minha mão está para baixo, perto da dela, e elas se esbarram, mas nada acontece entre nós.

— É. Talvez você tenha razão — diz ela, por fim.

— Por que está perguntando isso? — indago.

— Não sei. Não há nenhum motivo, de fato.

Nossa língua tem uma longa e celebrada história. E, em todo esse tempo, ninguém jamais fez uma "pergunta aleatória" sobre "revelações" por "nenhum motivo". "Perguntas aleatórias" são as menos aleatórias de todas as perguntas.

— Quem teve a revelação? — pergunto.

— Hã, acho que, na verdade, você é, assim, a pior pessoa possível para eu falar sobre isso — diz ela.

— Como assim?

— Sei que foi bastante idiota da minha parte ter ido ao show — continua ela aleatoriamente. Chegamos a um banco de plástico e ela se senta.

— Está tudo bem — respondo, me sentando ao lado dela.

— Na verdade, não está nada bem, assim, na maior escala possível. Acho que a questão é que estou um pouco confusa.

Confusa. O telefone. A voz doce, feminina. Revelações. Finalmente, percebo a verdade.

— O ex-namorado — digo. Sinto meu estômago afundar, como se estivesse nadando nas profundezas do mar, e compreendo a verdade: eu gosto dela. Ela é bonita, e inteligente precisamente da maneira correta (um pouco pretensiosa), e tem uma suavidade em seu rosto que aguça tudo que diz, e eu gosto dela, e não se trata apenas de eu *dever* ser sincero com ela; eu quero isso. É assim que essas coisas estão ligadas, acho.

— Tenho uma ideia — completo.

Posso senti-la me olhando, e ajusto o capuz do meu casaco. Minhas orelhas queimam, geladas.

Ela pergunta:

— Que ideia?

— A ideia é que, por dez minutos, a gente esqueça que tem sentimentos. E esqueça de proteger a si ou a outras pessoas, e simplesmente diga a verdade. Por dez minutos. E então podemos voltar a ser idiotas.

— Gostei — concorda ela. — Mas você começa.

Puxo a manga do casaco pra cima e olho o relógio. 10h42.

— Pronta? — pergunto. Ela faz que sim com a cabeça. Olho o relógio novamente. — Ok... Já. Eu gosto de você. E eu não sabia que gostava até pensar em você naquele show com outro cara, mas agora eu sei, e percebo que isso faz de mim um baitola mas, sim, gosto de você. Acho que você é sensacional, e muito gata (e, por gata, quero dizer linda, mas não quero dizer linda porque é clichê, mas você é) e nem me importo que você seja esnobe quando se trata de música.

— Não é esnobismo; é bom gosto. Já que eu namorava esse garoto e sabia que ele estaria no show e eu queria ir com você em parte porque sabia que Randall estaria lá, mas também queria ir mesmo sem você porque sabia que ele estaria lá, e então ele me viu quando os MDC tocavam "A Brief Overview of Time Travel Paradoxes", e ele estava gritando no meu ouvido que teve uma revelação e que agora sabe que devemos ficar juntos e eu dizia, tipo, acho que não, e ele citou um poema de e. e. cummings que diz que beijos são um destino melhor que a sabedoria e então acaba que ele pede que os MDC dediquem uma música pra mim, o que era o tipo de coisa que ele nunca teria feito antes, e sinto que mereço alguém que goste de mim de forma consistente, o que você parece não fazer... E eu não sei.

— Qual música?

— "Annus Miribalis". Hã, ele é a única pessoa que conhece o segredo do meu armário da escola, e pediu que dedicassem ao segredo do meu armário, o que é simplesmente... Quero dizer, não sei. É isso. É.

Embora esses sejam os minutos da verdade, não conto a ela sobre a música. Não posso. É constrangedor demais. A questão é que, vindo do seu ex-namorado, é meigo. E vindo do cara que não quis te beijar no seu Volvo laranja, é simplesmente estranho e talvez até cruel. Ela tem razão ao dizer que merece alguém consistente, e talvez eu não possa ser isso. Assim mesmo, eu esculacho o cara.

— Detesto muito caras que ficam citando poemas pras garotas, já que estamos sendo sinceros. Além disso, a sabedoria é um destino melhor que a maioria dos beijos. É certamente melhor que beijar idiotas que só leem poesia pra poder usá-la com as garotas.

— Meu Deus — diz ela. — O Will Sincero e o Will Normal são tão fascinantemente diferentes!

— Pra dizer a verdade, prefiro o sujeito comum, medíocre, ordinário com sua despreocupação de olhos vidrados e queixo caído aos caras que tentam acabar com minha compostura lendo poesia e ouvindo música de qualidade duvidável. Eu dei duro pra conseguir esse controle. Comi o pão que o diabo amassou na escola por causa disso. Conquistei essa merda honestamente.

— Bem, você nem conhece ele — retruca ela.

— E nem preciso — respondo. — Olhe, você está certa. Talvez eu não goste de você da maneira como alguém deveria gostar de você. Não gosto de você da maneira te-liga-e-lê-um-poema-pra-você-toda-noite-antes-de-dormir. Eu sou maluco, ok? Às vezes eu penso, tipo, meu Deus, ela é supergata e inteligente e meio pretensiosa, mas é uma pretensão que só me faz *querer* ela, e então outras vezes acho que é uma ideia incrivelmente ruim, que namorar você seria como uma série de tratamentos de canal desnecessários intercalados com ocasionais sessões de beijos e abraços.

— Meu Deus, isso é uma ofensa.

— Na verdade não é, porque eu penso as duas coisas! E não tem importância, porque sou seu Plano B. Talvez eu seja seu Plano B porque me sinto dessa maneira, e talvez eu me sinta dessa maneira porque sou seu Plano B, mas, independentemente disso, significa que você deveria estar com Randall e eu deveria estar em meu estado natural de exílio de relacionamentos autoimposto.

— Tão diferente! — repete ela. — Você pode ser sempre assim?

— Provavelmente não — respondo.

— Quantos minutos ainda temos?

— Quatro — digo.

E então estamos nos beijando.

Dessa vez sou eu quem me inclino, e ela não se afasta. Está frio, e nossos lábios estão secos, os narizes um pouco molhados, as testas suadas debaixo dos chapéus de lã. Não posso tocar o rosto dela, embora eu queira, porque estou de luvas. Mas, meu Deus, quando os lábios dela se abrem, tudo fica quente e seu hálito açucarado está na minha boca, que provavelmente tem gosto de cachorro-quente, mas eu não ligo. Ela beija como quem devora docemente alguma coisa, e não sei onde tocá-la porque eu quero ela inteira. Quero tocar seus joelhos e seus lábios e a barriga e as costas e tudo dela, mas estamos envoltos nessas roupas todas, então parecemos dois marshmallows batendo um contra o outro, e ela sorri pra mim enquanto ainda nos beijamos porque também sabe o quanto isso é ridículo.

— Melhor que a sabedoria? — pergunta ela.

— Páreo duro — digo, e retribuo o sorriso enquanto a puxo mais pra perto de mim.

Nunca soube como era *querer* alguém — não querer namorar essa pessoa ou o que seja, mas *querer* ela, querer *ela*. E agora eu sei. Então talvez eu acredite em revelações.

Ela se afasta de mim apenas o bastante pra dizer:

— Qual é o meu sobrenome?

— Não tenho a menor ideia — respondo imediatamente.

— Turner. É Turner.

Eu lhe dou um último e suave beijo, e então ela volta a se sentar direito, embora sua mão enluvada permaneça na minha cintura, sobre a jaqueta.

— Está vendo, nós nem mesmo nos conhecemos. Eu tenho de descobrir se acredito em revelações, Will.

— Não posso acreditar que o nome dele seja Randall. Ele não estuda na Evanston, estuda?

— Não, ele estuda na Latina. A gente se conheceu em um recital de poesia.

— É claro que sim. Meu Deus, posso até ver o filho da puta: ele é alto e despenteado, e pratica algum esporte, futebol, provavelmente, mas finge nem gostar porque tudo de que gosta é poesia, música e você, e ele acha que você é um poema e é o que ele te diz, e ele é banhado em confiança e provavelmente em spray para o corpo.

Ela ri, sacudindo a cabeça.

— O que foi? — pergunto.

— Polo aquático — responde. — Não é futebol.

— Ah, meu Deus. *É claro*. Polo aquático. É, nada soa mais punk rock que polo aquático.

Ela pega o meu braço e olha meu relógio.

— Um minuto — diz ela.

— Você fica mais bonita com o cabelo pra trás — digo a ela, apressado.

— Mesmo?

— Sim, de outro jeito você fica parecendo um pouco com um cachorrinho.

— Você fica mais bonito quando fica em pé reto — diz ela.

— Tempo! — exclamo.

— Ok — diz. — Pena que não podemos fazer isso com mais frequência.

— Qual parte? — pergunto, sorrindo. Ela se levanta.

— Preciso ir pra casa. Limite idiota de meia-noite pra chegar em casa no fim de semana.

— É — concordo. Pego o celular. — Vou ligar pra Tiny e dizer a ele que estamos indo embora.

— Eu vou pegar um táxi.

— Só vou ligar...

Mas ela já está na beira da calçada, os dedos dos pés de seu tênis de cano alto fora do meio-fio, a mão erguida. Um táxi para. Ela me abraça rapidamente — um abraço todo ponta dos dedos e omoplatas — e vai embora sem dizer outra palavra.

Nunca estive sozinho na cidade assim tão tarde, e está tudo deserto. Ligo pra Tiny. Ele não atende. A ligação cai no correio de voz. "Você ligou para o correio de voz de Tiny Cooper, escritor, produtor e estrela do novo musical *Tiny Dancer: A História de Tiny Cooper*. Lamento, mas parece que alguma coisa mais fabulosa que sua ligação está acontecendo neste momento. Quando os níveis de fabuloso caírem um pouco, ligo pra você. BIPE."

— Tiny, da próxima vez que você tentar me arrumar com uma garota com um namorado secreto, pode pelo menos me *avisar* que ela tem um namorado secreto? Além disso, se não me ligar de volta em cinco minutos, vou supor que você encontrou um caminho de volta pra Evanston. Além disso, você é um babaca. Isso é tudo.

Há táxis na Michigan Avenue e um fluxo constante de trânsito, mas assim que entro em uma rua lateral, Huron, tudo é silêncio. Passo por uma igreja e então subo a State Street em direção à Frenchy's. Três quadras antes posso ver que Tiny e Will não estão mais lá, e ainda assim ando até a frente da loja. Olho para um lado e para o outro da rua, mas não vejo ninguém, e, além do mais, Tiny jamais cala a boca, portanto eu o ouviria se ele estivesse por perto.

Reviro os detritos no bolso do meu casaco à procura das chaves, e então as pego. Elas estão envoltas no bilhete que Jane me escreveu, o bilhete da Houdini do Armário.

Estou andando na rua em direção ao carro quando vejo uma sacola plástica preta na calçada, tremulando no vento. *Mano a Mano*. Eu deixo a sacola ali, pensando que provavelmente acabei de fazer o dia de alguém amanhã.

Pela primeira vez em muito tempo, dirijo sem música. Não estou feliz — não estou feliz por Jane e o Sr. Randall Polo Aquático Cara de Babaca IV, não estou feliz por Tiny me abandonar sem nem mesmo um telefonema, não estou feliz por minha carteira falsa insuficientemente falsa — mas, no escuro da Lake Shore, com o carro devorando todos os sons, tem alguma coisa no entorpecimento dos meus lábios depois de tê-la beijado que quero reter comigo, alguma coisa que parece *pura*, que parece a verdade singular.

Chego em casa quatro minutos antes do toque de recolher e encontro meus pais no sofá, os pés da minha mãe no colo do meu pai. Ele tira o som da TV e pergunta:

— Como foi?

— Bem legal — respondo.

— Eles tocaram "Annus Miribalis"? — pergunta minha mãe, porque eu gostei tanto dessa música que botei pra ela ouvir. Imagino que ela esteja perguntando em parte pra parecer moderninha e em parte pra se certificar de que fui mesmo ao show. Provavelmente vai verificar a relação das músicas tocadas mais tarde. Eu *não* fui ao show, é claro, mas sei que eles tocaram essa.

— Sim — digo. — Sim. Foi bom.

Fico olhando pra eles por um segundo, e então completo:

— Ok, vou dormir.

— Por que não assiste a um pouco de TV conosco? — convida meu pai.

— Estou cansado — respondo simplesmente, e me viro pra sair.

Mas não vou pra cama. Vou para o meu quarto, fico on-line e começo a ler sobre e. e. cummings.

Na segunda-feira, pego uma carona cedo pra escola com minha mãe. Nos corredores, passo por pôster após pôster de *Tiny Dancer.*

TESTES HOJE NO NONO TEMPO NO TEATRO. PREPARE-SE PARA CANTAR. PREPARE-SE PARA DANÇAR. PREPARE-SE PARA SER FABULOSO.

PARA O CASO DE NÃO TER VISTO O PÔSTER ANTERIOR, OS TESTES PARA O MUSICAL SERÃO REALIZADOS HOJE.

CANTE & DANCE & CELEBRE A TOLERÂNCIA NO MAIS IMPORTANTE MUSICAL DE NOSSOS TEMPOS.

Acelero pelos corredores e então subo a escada até o armário de Jane e coloco através das frestas da ventilação o bilhete que escrevi ontem à noite:

Para: A Houdini do Armário
De: Will Grayson
Ref: Um Expert na Esfera dos Bons Namorados?

Querida Jane,

Só para você saber: e. e. cummings traiu as duas esposas Com prostitutas.

Atenciosamente,
Will Grayson

capítulo dez

tiny cooper.

tiny cooper.

tiny cooper.

fico dizendo o nome dele sem parar na minha cabeça.

tiny cooper.

tiny cooper.

é um nome ridículo, e a coisa toda é ridícula, e eu não conseguiria parar se tentasse.

tiny cooper.

se eu o disser vezes suficientes, talvez aceite o fato de isaac não existir.

começa naquela noite. diante da frenchy's. ainda estou em choque. não sei dizer se é estresse pós-traumático ou trauma pós-estresse. o que quer que seja, uma boa parte da minha vida acabou de ser apagada, e não tenho a menor vontade de preencher o novo espaço. deixe-o vazio, digo. apenas me deixe morrer.

tiny, porém, não me deixa. ele está fazendo o jogo do já-passei-por-coisa-pior, que nunca funciona, porque ou a pessoa passou por algo que absolutamente não é pior ("ele não era louro natural") ou diz alguma coisa que é tão pior que você tem a sensação de que seus sentimentos estão sendo completamente negados. ("bem, uma vez um cara me deu um bolo num encontro... e acabou que ele tinha sido comido por um leão! a última palavra que ele disse foi o meu nome!")

ainda assim, ele está tentando ajudar. e acho que devia aceitar, já que estou precisando.

de sua parte, o.w.g. também está tentando ajudar. tem uma garota rondando no fundo, e não tenho a menor dúvida de que se trata da (in)fame jane. a princípio, a tentativa de o.w.g. de ajudar é ainda pior que a de tiny.

o.w.g.: sei que é uma merda, mas num certo sentido é bom.

isso é tão inspirador quanto um filme de hitler transando com a namorada e se divertindo horrores. vai ao encontro do que eu chamo de a regra da bosta de passarinho. sabe, quando as pessoas te dizem que é sinal de boa sorte quando um pássaro caga em você? e acreditam nisso! eu tenho vontade de sacudi-las e dizer: "cara, você não percebe que toda essa superstição foi criada porque ninguém pôde pensar em nada melhor pra dizer a alguém que tinha acabado de ser cagado?". e que as pessoas fazem isso o tempo todo — e não só com algo tão temporário quanto bosta de passarinho. perdeu o emprego? é uma grande oportunidade! fracassou na vida? só tem uma direção a seguir: pra cima! abandonado por um namorado que nunca existiu? sei que é uma merda, mas num certo sentido é bom!

estou prestes a destituir o.w.g. de seu direito de ser um will grayson, mas então ele continua.

o.w.g.: o amor e a verdade ligados um ao outro, quero dizer. eles tornam um ao outro possível, sabe?

não sei o que me espanta mais — o fato de um estranho me dar ouvidos, ou o fato de ele, na técnica, estar absolutamente correto.

o outro will grayson se afasta, me deixando com minha nova companhia que tem o tamanho de uma geladeira e que me olha com tamanha sinceridade que tenho vontade de bater nele.

eu: você não precisa ficar. sério.
tiny: o quê? e deixar você aqui no desalento?
eu: isso está tão mais além de desalento. isso é desespero completo.
tiny: *awwwww.*

e então ele me abraça. imagine ser abraçado por um sofá. é essa a sensação.

eu (sufocando): estou sufocando.
tiny (acariciando meu cabelo): pronto, pronto.
eu: cara, você não está ajudando.

eu o empurro, afastando-o. ele parece magoado.

tiny: você me chamou de cara!
eu: desculpe. é só que, eu...
tiny: só estou tentando ajudar!

é por isso que eu devia carregar comprimidos extras. acho que nesse momento nós dois podíamos fazer uso de uma dose dupla.

eu (de novo): desculpe.

então ele olha pra mim. e é estranho, porque o que quero dizer é que ele está me olhando *de verdade*. o que me deixa completamente desconfortável.

eu: o que foi?

tiny: quer ouvir uma música de *tiny dancer: a história de tiny cooper*?

eu: como?

tiny: é um musical que estou produzindo. é baseado na minha vida. acho que uma das canções pode ajudar neste momento.

estamos numa esquina, diante de uma sex shop. há pessoas passando. moradores de chicago — não se pode ser menos musical que as pessoas de chicago. eu me encontro em um estado completamente destruído. minha mente está infartando. a última coisa que preciso é que a "prima-dona" cante. no entanto, eu faço algum protesto? decido viver o resto da vida dentro do sistema do metrô, me alimentando de ratos? não. apenas faço que sim com a cabeça, mudo, porque ele quer tanto cantar a tal canção que eu me sentiria desprezível se dissesse não.

com uma inclinação da cabeça, tiny começa a cantarolar um pouco pra si mesmo. assim que encontra o tom, ele fecha os olhos, abre os braços e canta:

pensei que você dos meus sonhos realidade iria fazer
mas não era você, não era você

pensei que dessa vez em tudo novo iria crer
mas não era você, não era você

imaginei todas as coisas que a gente iria viver
mas não era você, não era você

e agora sinto em meu coração a calamidade
não é verdade, não é verdade

posso ser grandalhão e medroso parecer
mas a minha fé no amor não irei perder!

do curso com frequência eu resvalo
mas não vou desmontar de meu fiel cavalo!

não era você, agora eu sei
mas há mais na vida do que eu imaginei

pensei que você fosse um garoto com visão,
seu convencido, egoísta, megera aberração

você me chutou até que roxo me vi
mas com essa experiência eu cresci

é verdade, e eu quero mais é que vá se foder
existem caras melhores pra conhecer

não vai ser você, comprende vous?
nunca, jamais será tu.

tiny não se limita a cantar esses versos — ele os interpreta. é como um desfile saindo de sua boca. não tenho a menor dúvida de que as palavras atravessam o lago michigan e se espalham por quase todo o canadá, seguindo pro polo norte. os fazendeiros de saskatchewan estão chorando. papai noel está se virando pra sra. noel e dizendo: "que porra é *essa?*" estou completamente mortificado, mas aí tiny abre os olhos e me olha com um carinho tão óbvio que não tenho ideia do que fazer. ninguém tenta me oferecer algo assim há séculos. exceto isaac, e ele não existe. não importa o que se possa dizer de tiny, ele decididamente existe.

ele me pergunta se quero dar uma volta. mais uma vez, faço que sim com a cabeça, mudo. não é como se eu tivesse algo melhor para fazer.

eu: quem *é* você?
tiny: tiny cooper!
eu: você não pode se chamar tiny de verdade.
tiny: não. isso é ironia.
eu: ah.
tiny (fazendo tsc): não precisa ficar fazendo "ah" pra mim. não tenho problemas com isso. tenho ossos largos.
eu: cara, não são só os seus ossos.

tiny: isso só significa que tem mais de mim pra amar!

eu: mas isso requer muito mais esforço.

tiny: querido, eu valho a pena.

o bizarro é que preciso admitir que tem alguma coisa um pouco atraente nele. não consigo entender. é como, sabe quando às vezes você vê um bebê sexy? espere, isso soa péssimo. não é isso que quero dizer. mas é, assim, embora seja grande como uma casa (e também não estou falando de uma casa pobre), ele tem a pele superlisa e olhos muito verdes e tudo está em, assim, proporção. por isso, não sinto a repulsa que esperaria sentir em relação a alguém com três vezes o meu tamanho. quero dizer a ele que eu deveria estar por aí matando pessoas agora, não dando uma volta com ele. mas tiny tira um pouco do homicídio da minha cabeça, o que não quer dizer que isso não vai estar lá mais tarde.

enquanto andamos até o millennium park, tiny me conta tudo sobre *tiny dancer* e como ele batalhou para escrever, atuar, dirigir, produzir, coreografar, desenhar o figurino, projetar a iluminação, o cenário e buscar patrocínio. ele parece fora de si e como estou me esforçando para sair de mim também, tento segui-lo. como era no caso com maura (porra de bruxa anta vadia mussolini al-qaeda darth vader não entidade), eu não preciso dizer nada, o que pra mim está bom.

quando chegamos ao parque, tiny segue em linha reta pro feijão. por alguma razão, não me surpreendo.

o feijão é essa escultura verdadeiramente idiota que fizeram pro millennium park — creio que na virada do milênio —, e que originalmente tinha outro nome, mas todo mundo começou a chamá-la de feijão e o nome pegou. ela é basicamente um grande feijão de metal reflexivo sob o qual você pode andar e ver sua imagem distorcida. já estive aqui antes em excursões da escola, mas nunca com alguém tão imenso quanto tiny. em geral, é difícil a princípio localizar-se no reflexo, mas dessa vez sei que sou o graveto ondulante de pé perto da imensa bolha de humanidade. tiny dá uma risadinha enquanto se vê dessa forma. uma genuína risada hi-hi-hi. odeio quando as garotas fazem essa babaquice, porque é sempre tão falso. mas com tiny não é falso, nem um pouco. é como se a vida estivesse lhe fazendo cócegas.

depois de tiny tentar uma pose de bailarina, de batedor de baseball, de vou-incendiar-a-pista-de-dança e de noviça-rebelde no reflexo do feijão, ele me leva a um banco que dá pra lake shore drive. penso que ele vá estar todo suado porque, vamos combinar, a maioria dos gordos fica suada só de levantar o dedo mindinho até a boca. tiny, porém, é fabuloso demais pra suar

tiny: então, conte seus problemas pro tiny.

não consigo responder, porque da maneira como ele fala, é como se você pudesse substituir a palavra "tiny" pela palavra "mamãe" e a frase ainda soaria a mesma.

eu: o tiny pode falar normalmente?

tiny (em sua melhor voz de anderson cooper): sim, ele pode. mas não é nem de perto tão divertido quando ele fala assim.

eu: é que você soa tão gay.

tiny: hum... tem um motivo pra isso?

eu: sim, mas... não sei. não gosto de gente gay.

tiny: mas certamente você deve gostar de si mesmo?

puta que o pariu, quero ser do planeta desse garoto. ele está falando sério? olho pra ele e vejo que, sim, está.

eu: por que eu deveria gostar de mim? ninguém mais gosta.

tiny: eu gosto.

eu: você não me conhece.

tiny: mas quero conhecer.

é tudo tão idiota, porque de repente eu estou gritando

eu: cale a boca! só cale a boca!

e ele parece tão magoado que eu tenho de dizer

eu: não, ah, não é você. ok? você é legal. eu não sou. eu não sou legal, entendeu? pare com isso!

porque agora ele não parece magoado; parece triste. triste por mim. ele me vê. cristo.

eu: isso é tão idiota.

é como se ele soubesse que, se me tocar, eu provavelmente vou me descontrolar e começar a bater nele e começar a chorar e nunca mais vou querer vê-lo. assim, em vez disso, ele simplesmente fica ali sentado enquanto eu apoio a cabeça entre as mãos, como se estivesse literalmente querendo pôr a cabeça no lugar. e a questão é que ele não precisa me tocar, porque quando alguém como tiny cooper está perto de você, você tem consciência disso. tudo que ele precisa fazer é ficar, e você sabe que ele está ali.

eu: merda merda merda merda merda merda merda

e aqui está a coisa doentia, deturpada: parte de mim acha que eu *mereço* isso. que talvez, se eu não fosse tão babaca, isaac teria sido real. se eu não fosse uma pessoa tão imperfeita, alguma coisa certa poderia me acontecer. não é justo, porque eu não pedi que meu pai fosse embora, e não pedi pra ser deprimido, e não pedi que não tivéssemos dinheiro, e não pedi pra querer trepar com garotos, e não pedi pra ser tão idiota, e não pedi pra não ter amigos de verdade, e não pedi pra que metade da merda que sai da minha boca saísse da minha boca. tudo que eu queria era uma porra de uma folga, uma droga de uma coisa boa, e obviamente era demais pedir isso, era demais querer isso.

não entendo por que esse garoto que escreve musicais sobre si mesmo está sentado comigo. sou assim tão patético? por acaso ele ganha uma medalha de honra ao mérito por catar os pedaços de um ser humano destroçado?

afasto a cabeça das mãos. isso não está ajudando. quando volto à tona, olho pra tiny e acho tudo estranho de novo. ele não só está me observando — ele está me *vendo*. os olhos dele estão praticamente reluzindo.

171

tiny: eu nunca beijo no primeiro encontro.

olho pra ele sem entender nada, e então ele acrescenta:

tiny: ... mas às vezes abro exceções.

e, agora meu choque de antes está se transformando em um tipo diferente de choque, porque naquele momento, embora seja enorme, e embora não me conheça absolutamente, e embora esteja ocupando aproximadamente três vezes mais espaço no banco que eu, tiny cooper é surpreendente e inegavelmente atraente. sim, a pele dele é suave, o sorriso gentil, e principalmente os olhos — os olhos têm essa louca esperança e louco anseio e ridícula vertigem, e embora eu ache completamente idiota e embora eu nunca vá sentir as coisas que ele sente, no mínimo não me importo com a ideia de beijá-lo e ver o que acontece. ele está começando a ficar vermelho por causa do que disse, e na verdade ele é tímido demais pra se inclinar pra mim, então eu me pego ficando de pé pra beijá-lo, mantendo os olhos abertos porque quero ver a surpresa dele e ver sua felicidade porque não tem como eu ver nem mesmo sentir a minha própria.

não é como beijar um sofá. é como beijar um garoto. finalmente, um garoto.

ele fecha os olhos. sorri quando paramos.

tiny: não foi assim que imaginei que a noite fosse terminar.
eu: eu que o diga.

tenho vontade de fugir. não com ele. só não quero voltar pra escola ou pra vida. se minha mãe não estivesse esperando por mim, eu provavelmente faria isso. tenho vontade de fugir porque perdi tudo. tenho certeza de que, se dissesse isso pra tiny cooper, ele ressaltaria que perdi tanto as coisas boas quanto as ruins. me diria que o sol vai nascer amanhã, ou alguma merda do gênero. mas eu não acreditaria nele. não acredito em nada disso.

tiny: ei — eu nem sei o seu nome.
eu: will grayson.

com isso, tiny dá um pulo do banco, quase me jogando na grama.

tiny: não!
eu: hã... sim?
tiny: bem, isso não é a cereja do bolo?

com isso, ele começa a rir e a gritar

tiny: eu beijei will grayson! eu beijei will grayson!

quando ele vê que isso me apavora mais que tubarões, volta a sentar e diz

tiny: fico feliz que tenha sido você.

penso no outro will grayson. me pergunto como ele está se saindo com jane.

eu: não é como se eu fosse material pra *seventeen*, né?

os olhos de tiny se iluminam.

tiny: ele te falou sobre isso?
eu: sim.
tiny: ele foi roubado. fiquei tão furioso que escrevi uma carta pro editor. mas eles nunca a publicaram.

sinto essa profunda pontada de ciúme que o.w.g. tenha um amigo como tiny. não consigo imaginar alguém escrevendo uma carta pro editor por minha causa. não posso imaginar alguém sequer dando uma declaração pro meu obituário.

penso em tudo que aconteceu, e como, quando eu chegar em casa, não vou ter ninguém pra quem contar. então olho pra tiny e, surpreendendo a mim mesmo, dou outro beijo nele. porque, afinal, que se foda. totalmente que se foda.

isso continua por algum tempo. estou ficando totalmente gigante por beijar alguém gigante. e no meio dos beijos ele me pergunta onde moro, o que aconteceu esta noite, o que quero fazer da minha vida, qual meu sorvete preferido. respondo às perguntas que posso (basicamente, onde moro e o sabor do sorvete) e digo a ele que não tenho a menor ideia em relação ao resto.

não há ninguém observando a gente, mas estou começando a achar que tem. então paramos e não posso deixar de pensar em isaac, e em como, embora toda essa coisa do tiny seja um desenrolar interessante, no geral as coisas ainda são horríveis, do tipo um furacão-destruiu-a-minha-casa. tiny é tipo o único cômodo que restou de pé. sinto que lhe devo alguma coisa por isso, então digo

eu: estou feliz que você exista.

tiny: estou feliz por existir neste momento.

eu: você não tem ideia do quanto está enganado a meu respeito.

tiny: você não tem ideia do quanto está enganado a respeito de si mesmo.

eu: pare com isso.

tiny: só se você parar.

eu: estou avisando você.

não tenho a menor ideia do que a verdade tem a ver com o amor, e vice-versa. não estou nem pensando em termos de amor aqui. é muito, muito, muito cedo pra isso. mas acho que estou pensando em termos da verdade. quero que isso seja verdadeiro. e mesmo enquanto protesto com tiny e protesto comigo mesmo, a verdade está se tornando cada vez mais clara.

é hora de descobrirmos como isso tudo vai funcionar.

capítulo onze

Estou apoiado no meu armário, dez minutos antes de tocar o primeiro sinal, quando Tiny chega em disparada pelo corredor, em seus braços um monte de cartazes anunciando a audição pra *Tiny Dancer*.

— Grayson! — grita.

— Oi — respondo. Eu me levanto, pego um pôster dele e o seguro contra a parede. Ele larga os outros no chão e começa a prender com fita adesiva, rasgando a mesma com os dentes. Ele cola o pôster, então pegamos os que ele largou no chão, damos alguns passos e repetimos o processo. E o tempo todo ele fala. O coração dele bate, e as pálpebras piscam, e ele respira, e os rins produzem toxinas, e ele fala, e tudo isso de modo totalmente involuntário.

— Me desculpe por não voltar pra Frenchy's pra encontrar você, mas imaginei que você deduziria que peguei um táxi, o que, de fato, fiz, e de qualquer forma, Will e eu tínhamos andado até o Feijão e, assim, Grayson, eu sei que já disse isso antes, mas eu *gosto dele de verdade*. Afinal, é preciso gostar *mesmo* de alguém pra andar até o Feijão com essa pessoa e ouvi-la falar do namorado, que nem era homem, e eu ainda cantei pra ele. E Grayson, estou falando sério: dá pra acreditar que beijei Will Grayson? Eu. Beijei. Will. Grayson. Porra. E nada pessoal, porque, como já te disse um zilhão de vezes, acho você um cara muito gente boa, mas teria apostado meu colhão esquerdo que nunca ficaria com Will Grayson, sabe?

— Aham... — digo, mas ele não espera nem eu chegar ao fim do *ham* para recomeçar.

— E ele me manda mensagens, assim, a cada 42 segundos, e as mensagens dele são brilhantes, o que é bacana porque é só uma vibraçãozinha agradável na perna, um simples lembrete-na-coxa de que ele... Olha, chegou uma.

Eu continuo segurando o pôster enquanto ele tira o telefone do bolso do jeans.

— Aww.

— O que diz? — pergunto.

— É confidencial. Acho que ele meio que confia em mim pra não comentar as mensagens, sabe?

Eu podia ressaltar o quão ridículo era alguém confiar em Tiny pra não falar sobre alguma coisa, mas não faço isso. Ele cola o pôster e começa a andar pelo corredor. Eu o sigo.

— Bem, fico feliz que sua noite tenha sido tão incrível. Enquanto isso, eu estava sendo surpreendido por um garoto que joga polo aquático, ex-namorado de Ja...

— Bem, em primeiro lugar — diz, me cortando —, que importância isso tem para você? Você *não está interessado* em Jane. Em segundo, eu não o chamaria de garoto. Ele é um *homem*. Um ex-namorado esculpido, imaculadamente concebido e sarado.

— Você não está ajudando.

— Só estou dizendo; ele não faz o meu tipo, mas é uma verdadeira maravilha pra se admirar. E que olhos! Como safiras queimando nos cantos escuros do seu coração. Mas, seja como for, eu não sabia que eles tinham sido namorados. Eu nem tinha ouvido falar do cara. Só pensei que fosse um cara bonito dando em cima dela. Jane nunca fala comigo sobre homens. Não sei por quê; sou totalmente confiável em relação a esse tipo de coisa.

Tem sarcasmo na voz — só o suficiente — pra me fazer rir. Ele fala por cima da risada.

— É impressionante quanta coisa não sabemos sobre as pessoas, sabe? Fiquei pensando nisso o fim de semana todo falando com Will. Ele se apaixonou por Isaac, que acabou sendo alguém inventado. Isso parece algo que só acontece na internet, mas na verdade acontece o tempo todo na vida real também.

— Bem, Isaac não foi inventado. Ele era apenas uma garota. Quero dizer, aquela tal Maura é Isaac.

— Não, ela não é — diz ele simplesmente.

Estou segurando o último dos pôsteres enquanto ele o prega na porta de um banheiro masculino. O cartaz diz: VOCÊ É FABULOSO? SE FOR, APAREÇA HOJE NO NONO TEMPO NO AUDITÓRIO. Ele termina de colar e então nos dirigimos para a aula de pré-cálculo, os corredores começando a se encher.

A confusão de nomes Isaac/Maura me faz lembrar de uma coisa.

— Tiny — digo.

— Grayson — responde ele.

— Você pode, por favor, dar outro nome àquele personagem em sua peça, o coadjuvante?

— Gil Wrayson?

Faço que sim com a cabeça. Tiny levanta as mãos e anuncia:

— Não posso mudar o nome de Gil Wrayson! É tematicamente *vital* pra toda a produção.

— Sinceramente, não estou com humor para as suas palhaçadas — afirmo.

— Não estou de palhaçada com você. O nome dele tem de ser Wrayson. Pronuncie o nome devagar, atento ao som. Ray-sin. Rays-in. Tem duplo sentido: Gil Wrayson está passando por uma transformação. E precisa deixar os *raios* de sol *entrarem*, aqueles raios vindo sob a forma das canções de Tiny, a fim de se transformar em seu verdadeiro eu. Não mais ser uma ameixa, mas uma uva-passa banhada de sol. Você não vê?

— Ah, vamos lá, Tiny. Se isso é verdade, então por que diabos o nome dele é *Gil*?

Isso o detém por um momento.

— Humm — diz, olhando o corredor ainda quieto. — O nome simplesmente sempre me pareceu certo. Mas suponho que eu *possa* mudar. Vou pensar a respeito, ok?

— Obrigado — respondo.

— Por nada. Agora deixe de frescura.

— O quê?

Chegamos aos armários, e, embora outras pessoas possam ouvi-lo, ele fala alto como sempre.

— Blá-blá, Jane não gosta de mim, embora eu também não goste dela. Blá-blá, Tiny deu o meu nome a um personagem na peça dele. Tipo, há pessoas no mundo com problemas de verdade, sabe? É preciso manter a perspectiva.

— Cara, VOCÊ está ME dizendo pra manter a perspectiva? Jesus Cristo, Tiny! Eu só queria saber se Jane tinha namorado.

Tiny fecha os olhos e respira fundo, como se fosse eu que o estivesse irritando.

— Como eu disse, eu nem sabia que ele *existia*, ok? Mas então eu o vi conversando com ela, e dava pra ver só pela postura dele que o cara estava interessado nela. E, quando ele se afastou, tive de ir até ela e perguntar quem ele era, e ela disse: "Meu ex-namorado", e eu disse: "*Ex?!* Você precisa resgatar aquele gato de volta imediatamente!"

Estou olhando pra lateral larga do rosto de Tiny Cooper. Ele está olhando pro outro lado, pro armário. Ele parece meio entediado, mas nesse momento suas sobrancelhas se erguem, e por um segundo eu penso que ele percebeu o quanto estou puto com o que acabou de dizer, mas ele leva a mão ao bolso do jeans e pega o telefone.

— Você não fez isso — digo.

— Desculpe, sei que não devia ler mensagens enquanto estamos conversando, mas estou apaixonado no momento.

— Não estou falando de *mensagens*, Tiny. Você não falou pra Jane voltar com aquele cara.

— Mas é claro que falei, Grayson — responde ele, ainda olhando pro telefone. Agora ele está escrevendo, respondendo a Will enquanto conversamos. — Ele era *lindo*, e você me disse que não gostava dela. Então agora gosta? *Garoto* típico; está interessado desde que ela não esteja.

Tenho vontade de socá-lo no rim por estar errado e por estar certo. Mas isso só me machucaria. Não sou nada além de um pequeno personagem na história de Tiny Cooper, e não tem nada que eu possa fazer exceto ser empurrado de um lado pro outro até que o ensino médio acabe, e eu possa finalmente escapar de sua órbita, finalmente deixando de ser uma lua girando em torno de seu gordo planeta.

E então percebo o que posso fazer. A arma de que disponho. Regra 2: Calar a boca. Passo por ele e me dirijo à aula.

— Grayson — chama ele.

Não respondo.

Não digo nada na aula de pré-cálculo quando ele milagrosamente se coloca em sua carteira. E não digo nada quando ele me diz que nesse momento não sou sequer seu Will Grayson favorito. Não digo nada quando ele me diz que enviou 45 mensagens ao outro Will Grayson nas últimas 24 horas, e sinceramente acho que isso é demais. Não digo nada quando ele segura o telefone debaixo do meu nariz, me mostrando algum texto de Will Grayson que supostamente vou adorar. Não digo nada quando ele me pergunta por que diabos não estou falando com ele. Não digo nada quando ele diz: "Grayson, você simplesmente estava me dando nos nervos e eu só disse aquilo tudo pra fazer você calar a boca. Mas não era minha intenção te calar tanto assim." Não digo nada quando ele diz: "Não, sério, fala comigo", e nada quando ele fala baixinho, mas ainda assim alto o suficiente pra que as pessoas ouçam: "De verdade, Grayson, me desculpe, ok? Me desculpe."

E então, felizmente, a aula começa.

Cinquenta minutos depois, o sinal toca, e Tiny me segue, saindo pro corredor como uma sombra inchada, dizendo: "Sério, vai, isso é ridículo." Não se trata nem mais de querer torturá-lo. Só estou me deleitando na glória de não precisar ouvir a carência e a impotência da minha própria voz.

No almoço, me sento sozinho na extremidade de uma mesa comprida onde estão vários membros do meu antigo Grupo de Amigos. Um cara chamado Alton diz: "E aí, viado?" e eu respondo: "Tudo bem", e então esse outro cara, Cole, pergunta: "Você vai na festa de Clint? Vai ser irado", o que me faz pensar que esses caras, na verdade, não me rejeitam, embora um deles tenha acabado de me chamar de viado. Aparentemente, ter Tiny Cooper como seu melhor-e-único amigo não o prepara bem para as complexidades da socialização masculina.

Eu digo:

— É, vou tentar dar uma passada lá — embora eu não saiba quando vai ser a festa.

Então um garoto careca chamado Ethan diz:

— Ei, você vai fazer teste pra peça gay de Tiny?

— Meu Deus, não — respondo.

— Acho que eu vou — diz ele, e eu levo um segundo tentando entender se ele está brincando ou não. Todos começam a rir e falar ao mesmo tempo, querendo fazer com que seu insulto seja o primeiro, mas ele simplesmente ri e diz:

— As garotas adoram homens sensíveis. — Ele gira na cadeira e grita pra mesa de trás, onde a namorada dele, Anita, está sentada. — Baby, eu não fico sexy cantando?

— E como — responde ela.

Então ele olha, satisfeito, pra todos nós. Ainda assim, os garotos zombam dele. Eu me mantenho praticamente calado, mas, no fim do meu sanduíche de queijo e presunto, estou rindo das piadas deles nos momentos apropriados, o que, acho eu, significa que estou almoçando com eles.

Tiny me encontra quando estou colocando a bandeja na esteira. Jane está com ele, e ambos me acompanham. A princípio, ninguém fala. Jane está usando um suéter com capuz verde militar, o capuz cobrindo sua cabeça. Ela parece quase injustamente linda, como se o tivesse escolhido com o propósito expresso de me provocar. E diz:

— Hilária essa, Grayson. Tiny me disse que você fez voto de silêncio.

Faço que sim com a cabeça.

— Por quê? — pergunta.

— Hoje só estou falando com garotas bonitas — respondo, e sorrio.

Tiny tem razão — a existência do cara do polo aquático torna mais fácil flertar.

Jane sorri.

— Acho que Tiny é uma garota bastante bonita.

— Mas *por quê*? — implora Tiny quando dobro em um corredor. O labirinto de corredores idênticos, diferenciados apenas por diferentes murais do Wildkit, que costumava me apavorar. Deus, pensar que naquela época meu maior medo era um corredor. — Grayson, por favor. Você está me MATANDO.

Tenho consciência de que até onde me lembro, pela primeira vez, Tiny e Jane estão me seguindo.

Tiny decide me ignorar, e diz a Jane que espera um dia ter mensagens suficientes de Will Grayson pra fazer um livro, porque as mensagens dele são como poesia.

Antes que eu possa me conter, digo:

— "Devo igualar-te a um dia de verão?" passa a ser "vc é quente q nem agosto".

— Ele fala! — grita Tiny e passa o braço em volta do meu ombro. — Eu sabia que você ia se recuperar! Ele agora será conhecido como Phil Wrayson! Phil Wrayson, que deve Phil-trar os raios de sol de Tiny, a fim de se tornar seu verdadeiro eu. É perfeito. — Faço que sim com a cabeça. As pessoas ainda concluirão que sou eu, mas ele... Bem, ele está fingindo tentar.

— Ah, mensagem! — Tiny pega o telefone, lê a mensagem, deixa escapar um sonoro suspiro e começa a tentar digitar uma resposta com as mãos enormes. Enquanto ele digita com os polegares, eu digo:

— Eu escolho quem vai fazer esse papel.

Tiny faz que sim com a cabeça, distraído.

— Tiny — repito —, eu escolho quem vai fazer esse papel.

Ele levanta os olhos.

— O quê? Não, não, não. Eu sou o diretor. Sou o autor, o produtor, o diretor, o assistente de figurino e o diretor de elenco.

E Jane intervém:

— Vi você fazer que sim com a cabeça, Tiny. Você já con-cordou.

Ele apenas ri com desdém, então chegamos ao meu armá-rio, e Jane meio que me puxa pelo cotovelo, me afastando de Tiny, e diz baixinho:

— Sabe, você não pode dizer coisas assim.

— Eu erro falando, erro ficando calado — explico, sorrindo.

— Eu só... Grayson, eu só... Você não pode dizer essas coisas.

— Que coisas?

— Sobre garotas bonitas.

— Por que não? — pergunto.

— Porque ainda estou pesquisando sobre a relação entre polo aquático e revelações. — Ela tenta um sorriso breve, de lábios apertados.

— Quer ir aos testes de *Tiny Dancer* comigo? — pergunto. Os polegares de Tiny ainda estão digitando sem parar.

— Grayson, não posso... Quero dizer, estou meio comprometida, sabe?

— Não estou te convidando pra um *encontro*. Estou chamando você pra uma atividade extracurricular. Vamos sentar no fundo do auditório e rir dos garotos fazendo o teste pro meu papel.

Não leio a peça de Tiny desde o verão passado, mas, pelo que me lembro, são uns nove papéis importantes: Tiny, a mãe dele (que faz um dueto com Tiny), Phil Wrayson, os alvos amorosos de Tiny: Kaleb e Barry e um casal hétero fictício que faz o personagem de Tiny acreditar em si mesmo ou algo do gênero. E há também um coro. No total, Tiny precisa de trinta pessoas no elenco. Calculo que devam aparecer umas 12 pessoas na audição.

Mas, quando chego ao auditório depois da aula de química, já tem pelo menos cinquenta pessoas em torno do palco e nas primeiras fileiras de cadeira, esperando que os testes comecem. Gary corre de um lado pro outro entregando a todos alfinetes de fralda e pedaços de papel com números escritos à mão, os quais os candidatos prendem em suas roupas. E, como se trata de gente de teatro, estão todos falando. Todos eles. Ao mesmo tempo. Não precisam ser ouvidos; só precisam falar.

Eu me sento na última fileira, uma cadeira antes do corredor, para que Jane possa ficar com o corredor. Ela chega logo depois e se senta ao meu lado, avalia a situação por um instante e então diz:

— Em algum lugar ali na frente, Grayson, tem alguém que terá de olhar dentro da sua alma a fim de incorporar você corretamente.

Estou prestes a responder quando a sombra de Tiny passa sobre nós. Ele se ajoelha ao nosso lado, entregando a cada um de nós uma prancheta.

— Por favor, escrevam um breve comentário sobre cada pessoa que vocês considerariam para o papel de Phil. Além disso, estou pensando em escrever um pequeno papel pra um personagem chamado Janey.

Então ele segue marchando confiantemente pelo corredor.

— Pessoal! — grita. — Pessoal, por favor, sentem-se.

As pessoas correm para as primeiras fileiras enquanto Tiny corre para o palco.

— Não temos muito tempo — diz ele, com a voz estranhamente afetada. Está falando como pensa que o pessoal de teatro fala, acho. — Primeiro, preciso saber se vocês sabem cantar. Um minuto de uma música pra cada um; se forem chamados de volta, então vão para a leitura de um personagem. Podem escolher sua música, mas saibam de uma coisa: Tiny. Cooper. Odeia. "Over". "The". "Rainbow".

Ele desce do palco com um pulo dramático, e então grita:

— Número 1, me faça amar você.

Número 1, uma loura tímida que se identifica como Marie F, sobe a escada ao lado do palco e se curva para um microfone. Ela olha por trás da franja na direção dos fundos do auditório, onde se lê em letras maiúsculas grandes e roxas WILDKITS SÃO IRADOS. Então prossegue, provando o contrário com uma interpretação incrivelmente ruim de uma baladinha da Kelly Clarkson.

— Ah, meu Deus — diz Jane baixinho. — Ah, Deus. Faça com que isso termine logo.

— Não sei do que você está falando — murmuro. — Essa garota é perfeita pro papel de Janey. Ela canta desafinado, adora pop comercial e namora baitolas. — Ela me dá uma cotovelada.

Número 2 é homem, um garoto robusto com cabelo comprido demais pra ser considerado normal, porém curto demais pra ser considerado comprido. Ele canta uma música de uma banda aparentemente chamada Damn Yankees — Jane sabe quem são, naturalmente. Não sei como é a versão original, mas a interpretação macaco gritador a cappella desse cara deixa muito a desejar.

— Parece que alguém acabou de dar um chute no saco dele — diz Jane.

E eu respondo:

— Se ele não parar logo, é isso que alguém vai fazer.

No Número 5, já estou *torcendo* por uma interpretação medíocre de algo inofensivo como "Over the Rainbow", e suspeito que Tiny também, a julgar pelo modo como seu animado "Isso foi ótimo! Vamos entrar em contato com você" transformou-se em um "Obrigado. Próximo?"

As músicas variam de clássicos de jazz a covers de boy bands, mas todos os candidatos têm uma coisa em comum: são meio que péssimos. Quero dizer, claro que ninguém é ruim da mesma maneira, e nem todos são ruins o tempo todo, mas todo mundo é ruim, pelo menos um pouco. Fico pasmo quando meu companheiro do almoço, Ethan, Número 19, demonstra ser o melhor até então, cantando uma canção de um musical chamado *Despertar da Primavera*. O cara sabe cantar.

— Ele podia representar você — diz Jane. — Se deixasse o cabelo crescer e desenvolvesse uma marra.

— Eu não sou marrento...

— ... é o tipo de coisa que pessoas marrentas dizem. — Jane sorri.

Vejo duas potenciais Janes na próxima hora. Número 24 canta uma versão melosa estranhamente boa de uma canção de *Eles e Elas*. A outra garota, Número 43, tem cabelo liso oxigenado com mechas azuis e canta "Mary tinha um Carneirinho". Alguma coisa na distância entre canções infantis e cabelos azuis me parecem bem típicos de Jane.

— Eu voto nela — declara Jane assim que a garota chega à segunda estrofe.

A última candidata é uma criatura diminuta, de olhos grandes, chamada Hazel, que canta uma canção de *Rent*.

Quando ela termina, Tiny sobe correndo no palco pra agradecer a todos, dizer o quanto foram brilhantes, o quanto impossivelmente difícil será a decisão e que a chamada para a segunda fase dos testes será publicada depois de amanhã. Todos saem em fila, passando por nós, e então finalmente Tiny se arrasta pelo corredor.

— Você tem muito trabalho pela frente — digo a ele.

Ele faz um gesto dramático de futilidade.

— Não vimos muitos futuros astros da Broadway aqui — reconhece.

Gary se aproxima e diz:

— Gostei dos números 6, 19, 31 e 42. Os outros, bem... — E então Gary leva a mão ao peito e começa a cantar. — Somewhere over the rainbow, way up high / The sound of singing wildkits, makes me wanna die.

— Meu Deus — digo. — Você parece um *cantor de verdade*. Como Pavarotti.

— Bem, exceto pelo fato de ele ser um barítono — comenta Jane, sua presunção musical aparentemente estendendo-se inclusive ao mundo da ópera.

Tiny estala os dedos de uma das mãos, animado, enquanto aponta para Gary.

— Você! Você! Você! Para o papel de Kaleb. Parabéns.

— Você quer que eu represente uma versão ficcional do meu ex-namorado? — pergunta Gary. — Acho que não.

— Então Phil Wrayson! Não me importo. Escolha o seu papel. Meu Deus, você canta melhor que todos eles

— Isso! — digo. — Eu escolho você.

— Mas eu teria de beijar uma garota — diz ele. — Argh.

Não me lembro de meu personagem beijando nenhuma garota, e começo a perguntar a Tiny sobre isso, mas ele me corta, dizendo: "Andei reescrevendo." Tiny bajula Gary um pouco mais e ele então concorda em me representar, e, honestamente, aceito. Enquanto seguimos pelo corredor, saindo da cantina, Gary se vira pra mim, inclinando a cabeça e estreitando os olhos.

— Como é ser Will Grayson? Preciso saber como é isso por dentro.

Ele ri, mas também parece aguardar uma resposta. Eu sempre pensei que ser Will Grayson significasse ser eu, mas aparentemente não é isso. O outro Will Grayson também é Will Grayson, e agora Gary também vai ser.

— Eu só tento calar a boca e não me importar com nada — digo.

— Palavras tão comoventes. — Gary sorri. — Irei basear seu personagem nos atributos dos rochedos na margem do lago: silenciosos, apáticos e, considerando-se o pouco que se exercitam, surpreendentemente esculpidos.

Todos riem, exceto Tiny, que está enviando uma mensagem pelo telefone. Quando saímos do corredor, vejo Ethan encostado no pedestal do troféu Wildkit, a mochila nas costas. Vou até ele e digo:

— Nada mau hoje.

Ele sorri e diz:

— Só espero não ser bonito demais pra representar você. — E sorri novamente.

Retribuo o sorriso, embora ele pareça um tanto sério.

— Vejo você sexta na festa na casa do Clint? — pergunta ele.

— Sim, talvez — respondo. Ele ajusta a mochila em um ombro e se afasta, com um aceno da cabeça. Atrás de mim, ouço Tiny implorar dramaticamente:

— Alguém me diga que vai dar tudo certo!

— Vai dar tudo certo — diz Jane. — Atores medíocres acabam crescendo e prestando.

Tiny respira fundo, espanta algum pensamento da mente e conclui:

— Você tem razão. Juntos serão melhores que a simples soma de suas partes. Cinquenta e cinco pessoas fizeram teste pra minha peça! Meu cabelo está incrível hoje! Tirei B num trabalho de inglês!

O celular dele faz um zumbido.

— E acabei de receber uma mensagem do meu novo Will Grayson favorito. Você está totalmente certa, Jane: tudo vai dar Tiny.

capítulo doze

tudo começa quando chego em casa, vindo de chicago. já tenho 27 mensagens de tiny em meu celular. e ele tem 27 minhas. isso consumiu a maior parte da viagem de trem. no restante do tempo, eu calculava o que precisava fazer no momento em que passasse pela porta. porque, se a inexistência de isaac vai pesar sobre mim, preciso me livrar de algumas outras coisas a fim de não desabar direto no chão. eu já estou pouco me fodendo. isto é, não que eu pensasse que dava a mínima antes. mas aquilo era um pouco-me-fodendo amador. agora é a liberdade do tipo pouco-me-fodendo.

mamãe está à minha espera na cozinha, bebericando um chá, folheando uma daquelas revistas idiotas em que celebridades ricas exibem suas casas. ela levanta os olhos quando entro.

mãe: como foi em chicago?

eu: olhe, mãe, eu sou totalmente gay, e agradeceria se você pudesse deixar de lado o surto agora, porque, sim, temos o resto de nossas vidas pra lidar com isso, porém quanto mais cedo atravessarmos a parte da agonia, melhor.

mãe: a parte da agonia?

eu: você sabe, você rezando pela minha alma, me xingando por não te dar netinhos com uma esposa e dizendo o quanto está decepcionada.

mãe: você acha mesmo que eu faria isso?

eu: é seu direito, acho. mas se quiser pular essa etapa, está bom pra mim.

mãe: acho que quero pular essa etapa.

eu: mesmo?

mãe: mesmo.

eu: uau. quero dizer, isso é legal.

mãe: você me dá pelo menos um ou dois segundos pra ficar surpresa?

eu: claro. afinal, essa não devia ser a resposta que você esperava quando me perguntou como foi em chicago.

mãe: acho que é seguro dizer que não era a resposta que eu estava esperando.

estou olhando o rosto dela para ver se está reprimindo tudo, mas parece que é isso mesmo. o que é espetacular, levando-se toda a situação em consideração.

eu: você vai me dizer que sempre soube?

mãe: não. mas eu andava me perguntando quem era isaac.

ah, merda.

eu: isaac? você também estava me espionando?

mãe: não. é só que...

eu: o quê?

mãe: você dizia o nome dele dormindo. eu não estava espiando. mas dava pra ouvir.

eu: uau.

mãe: não fique bravo.

eu: como eu poderia ficar bravo?

sei que essa é uma pergunta boba. já provei que posso ficar bravo com muitas coisas. uma vez acordei no meio da noite e jurei que minha mãe havia instalado um alarme de fumaça no teto enquanto eu dormia. então irrompi no quarto dela e comecei a gritar como ela podia pôr uma coisa no meu quarto sem me dizer nada, e ela acordou e com toda a calma disse que o alarme contra fumaça ficava no corredor, e eu a arrastei pra fora da cama pra mostrar, e naturalmente não havia nada no teto do meu quarto — eu só havia sonhado. e ela não gritou comigo nem nada assim. apenas me disse que voltasse a dormir. e o dia seguinte foi péssimo pra ela, mas nem uma só vez minha mãe disse que tinha relação com o fato de eu tê-la acordado no meio da noite.

mãe: você viu isaac em chicago?

como explicar isso a ela? quero dizer, se disser que fui até a cidade pra ir a uma sex shop encontrar um cara que no final não existia, os ganhos da noite de pôquer das próximas semanas vão ser gastos numa consulta com o dr. keebler. mas, quando está atenta, ela sabe quando estou mentindo. não quero mentir neste momento. assim, distorço a verdade.

eu: sim, vi. o apelido dele é tiny. é assim que o chamo, embora ele seja enorme. na verdade, sabe, ele é muito legal.

aqui estamos em território mãe-filho completamente desconhecido. não só nesta casa — talvez em toda a américa.

eu: não fique preocupada. fomos só até o millennium park e conversamos um pouco. alguns amigos dele estavam lá também. não vou ficar grávido.

minha mãe ri.

mãe: bem, *isso* é um alívio.

ela se levanta da mesa da cozinha e, antes que eu me dê conta, está me dando um abraço. e, por um momento, não sei o que fazer com meus braços, e então digo a mim mesmo: *seu idiota, abrace ela também.* então faço isso, e espero que ela comece a chorar, porque um de nós dois deveria estar chorando. no entanto, ela tem os olhos secos quando se afasta de mim — um pouco turvos, talvez, mas eu já a vi quando as coisas não vão bem, quando tudo está totalmente uma merda, e assim sei o suficiente pra reconhecer que essa não é uma dessas ocasiões. estamos bem.

mãe: maura ligou algumas vezes. parecia aborrecida.
eu: bem, ela que vá pro inferno.
mãe: will!
eu: desculpe. não era minha intenção dizer isso em voz alta.
mãe: o que aconteceu?
eu: não quero entrar em detalhes. só vou te dizer que ela me magoou muito, muito mesmo, e preciso que isso

pare por aqui. se ela ligar pra cá, quero que você diga a ela que nunca mais quero falar com ela. não diga que não estou em casa. não minta quando eu estiver no quarto. diga a ela a verdade — que acabou e que nunca mais estará desacabado. por favor.

seja porque concorda ou porque sabe que não tem sentido discordar quando estou assim, mamãe faz que sim com a cabeça. tenho uma mãe muito inteligente, no fim das contas.

já é hora de ela ir — achei que isso fosse acontecer depois do abraço —, mas, como ainda está por ali, tomo a iniciativa.

eu: vou pra cama. vejo você amanhã.
mãe: will...
eu: sério, foi um dia muito longo. obrigado por ser tão, você sabe, compreensiva. te devo uma. uma das grandes.
mãe: não se trata de dever nada...
eu: eu sei. mas você sabe o que quero dizer.

não quero sair enquanto não estiver claro que está tudo bem em eu sair. afinal, isso é o mínimo que posso fazer.

ela se inclina e beija a minha testa.

mãe: boa noite.
eu: boa noite.

então vou pro meu quarto, ligo o computador e crio um novo nome de usuário.

willupleasebequiet: tiny?
bluejeansbaby: aqui!
willupleasebequiet: você está pronto?
bluejeansbaby: pra quê?
willupleasebequiet: pro futuro
willupleasebequiet: porque acho que ele acaba de começar

*

tiny me manda um arquivo com uma das canções de *tiny dancer*. diz que espera que vá me inspirar. eu a passo pro meu ipod e ouço no caminho pra escola na manhã seguinte.

Houve um tempo de neblina
Em que pensei gostar de vagina
Mas eis que veio um verão
E algo melhor captou meu coração

Eu soube no momento em que ele ocupou o beliche de cima
O quanto desesperadamente eu queria criar um clima
Joseph Templeton Oglethorpe Terceiro
Fez meu coração cantar feito um pássaro brejeiro

Verão de alegria!
Tão adorável! Tão gay!
Verão de alegria!
Definiu o ano inteiro, eu sei!

Mamãe e Papai não sabiam que estavam me deixando de quatro

*No momento em que me mandaram pro acampamento de
teatro*

Tantos Hamlets entre os quais escolher
Alguns atormentados, alguns gatinhos
Eu estava pronto para a esgrima
Ou para seguir de Ofélia o caminho

Havia garotos que me chamavam de irmã
E irmãs que me ensinaram sobre garotos
Joseph me sussurrava doces bobagens
E eu o alimentava com biscoitos

Verão de alegria!
Tão cheio de frutas! Tão completo!
Verão de alegria!
Percebi que Anjo era meu papel predileto!

*Mamãe e Papai não sabiam que eu dava a seu dinheiro tão
bom proveito*
Quando em nossa produção de Rent *aprendi sobre o amor
perfeito*

Tantos beijos nas passarelas
Tanta competição pelos papéis
Nos apaixonávamos tão completamente
Entre tantas raças, sexualidades e fiéis...

Verão de alegria!
Chegou tão rápido ao fim!
Verão de alegria!
Meu coração ainda ouve seu clarim!

Joseph e eu nao chegamos a setembro
Mas não se pode apagar a brasa colorida
Nunca mais hei de voltar
À estrada heterossexual nesta vida

Pois agora todo dia
(Sim, todos os dias)
É verão de
alegria!

como nunca prestei atenção a musicais, não sei se todos soam assim tão gays ou se é apenas o de tiny. desconfio que eu acharia todos gays assim. não estou inteiramente certo de como isso pode me inspirar a fazer qualquer coisa que não seja me inscrever num curso de teatro, o que nesse momento é tão provável quanto eu convidar maura pra sair. no entanto, tiny me disse que eu era a primeira pessoa a ouvir a música, além da mãe dele, então isso conta alguma coisa. mesmo que seja bobo, é um tipo doce de bobeira.

até consegue desviar minha cabeça da escola e de maura por alguns minutos. mas, assim que chego lá, ela está bem diante de mim, e lembro que a montanha se trata de um vulcão, e não posso evitar o desejo de querer lançar lava pra todos os lados. passo direto pelo lugar em que costumamos nos encontrar, mas isso não a detém. ela vem atrás de mim, dizendo todas as coisas que estariam em um cartão da hallmark, se a hallmark fizesse cartões pra pessoas que inventam namorados virtuais pra outras pessoas e então são pegas na mentira.

maura: me desculpe, will. não era minha intenção te magoar nem nada. eu só estava brincando. não percebi o quanto você estava levando a sério. e sou uma vaca total por isso, eu sei. mas só fiz porque era a única maneira de me aproximar de você. não me ignora, will. fala comigo!

vou apenas fingir que ela não existe. porque todas as outras opções acarretariam minha expulsão e/ou prisão.

maura: por favor, will. estou muito, muito arrependida.

agora ela está chorando, e eu não ligo. as lágrimas são pro seu próprio benefício, não pro meu. ela que sinta a dor que sua poesia deseja. isso não tem nada a ver comigo. não mais.

ela tenta me passar bilhetinhos durante a aula. derrubo-os da minha mesa e os largo no chão. ela me manda mensagens de texto, e eu as deleto sem ler. ela tenta se aproximar de mim no começo do almoço, e ergo um muro de silêncio que nenhuma melancolia gótica pode escalar.

maura: muito bem. entendo que esteja com raiva. mas ainda vou estar aqui quando você não estiver mais com tanta.

quando as coisas se quebram, não é o ato de quebrar em si que impede que elas se refaçam. é porque um pedacinho se perde — as duas bordas que restam não se encaixam, mesmo que queiram. a forma inteira mudou.

eu nunca, jamais voltarei a ser amigo de maura. e quanto mais cedo ela perceber isso, menos irritante vai ser.

quando falo com simon e derek, descubro que eles derrotaram os desafiantes da trigonometria ontem, assim pelo menos sei que não estão mais furiosos comigo por abandoná-los. meu lugar na mesa do almoço continua seguro. nos sentamos e comemos em silêncio durante pelo menos cinco minutos, até que simon fala.

simon: então, como foi seu grande encontro em chicago?

eu: você quer mesmo saber?

simon: sim — se foi grande o bastante pra você se retirar de nossa competição, quero saber como foi.

eu: bem, a princípio ele não existiu, mas em seguida existiu e aí foi tudo bem. antes, quando falei com você a respeito, tomei muito cuidado pra não usar nenhum pronome, mas agora não dou mais a mínima.

simon: espere um segundo... você é gay?

eu: é. suponho que seja essa a conclusão correta pra você tirar.

simon: isso é nojento!

essa não é exatamente a reação que eu esperava de simon. apostava em algo um pouco mais próximo da indiferença.

eu: o que é nojento?

simon: você sabe. colocar seu negócio no lugar por onde ele, hã, defeca.

eu: em primeiro lugar, não coloquei meu negócio em lugar algum. e você se dá conta, não é?, de que quando um cara e uma garota transam, ele põe o negócio dele onde ela urina e menstrua?

simon: ah. eu não havia pensado nisso.

eu: exatamente.

simon: ainda assim, é estranho.

eu: não mais do que tocar punheta para personagens de videogames.

simon: quem te contou isso?

ele bate na cabeça de derek com o garfo de plástico.

simon: você contou isso a ele?

derek: não contei nada!

eu: deduzi sozinho. de verdade.

simon: são só os personagens femininos.

derek: e alguns feiticeiros!

simon: CALA A BOCA!

não era assim, tenho de admitir, que imaginei que seria assumir ser gay.

felizmente, tiny me manda mensagens a cada cinco minutos mais ou menos. não sei como ele faz isso na aula sem ser pego. talvez esconda o telefone nas dobras da barriga ou algo no gênero. qualquer que seja o caso, eu me sinto grato.

porque é difícil odiar demais a vida quando você tem alguém interrompendo o seu dia com coisas como

ESTOU TENDO PENSAMENTOS GAYS FELIZES A SEU RESPEITO

e

QUERO TRICOTAR UM SUÉTER PRA VC. QUE COR?

e

ACHO QUE ACABEI DE ME DAR MAL NUM TESTE DE MATEMÁTICA PORQUE ESTAVA PEN-SANDO DEMAIS EM VC

e

O QUE RIMA COM JULGAMENTO POR SODO-MIA?

depois

VIL LOBOTOMIA?

depois

MEU ROBÔ TITIA?

depois

MEU ROBÔ SE DELICIA!

Depois

MEU ROBÔ É UMA VADIA?

depois

ALIÁS — É PRA CENA EM Q O FANTASMA DE OS-CAR WILDE ME APARECE EM SONHO

entendo apenas metade do que ele está falando, e em geral isso me irrita profundamente. mas, com tiny, isso não importa tanto. talvez um dia eu entenda. e, se não entender, viver absorto também pode ser divertido. o gorducho está me transformando em um molenga. é doentio, de verdade.

ele também me envia pelo celular todas essas perguntas sobre como vão as coisas, o que estou fazendo, como me sinto e quando ele vai me ver de novo. não posso evitar — acho que é meio parecido com o que vivi com isaac. só que sem a distância. dessa vez, sinto que conheço a pessoa com quem estou falando. porque tenho a sensação de que, com tiny, o que você vê é o que ele é. ele não esconde nada. eu quero ser assim. só que sem ter de ganhar, digamos, 150 quilos para isso.

depois da escola, maura me alcança no armário.

maura: simon me disse que agora você é oficialmente gay. que "encontrou alguém" em chicago.

não te devo coisa nenhuma, maura. muito menos uma explicação.

maura: o que você está fazendo, will? por que falou isso pra ele?

porque de fato conheci alguém, maura.

maura: fale comigo.

nunca. vou deixar que o ato de fechar meu armário fale por mim. vou deixar que o som dos meus passos fale por mim. vou deixar que o fato de não olhar pra trás fale por mim.

está vendo, maura, não dou a mínima.

naquela noite, tiny e eu falamos pelo computador durante quatro horas. minha mãe me deixa em paz e até permite que eu fique acordado até tarde.

alguém com um perfil falso deixa um comentário em minha página do myspace me chamando de viado. não creio que seja maura; alguém mais da escola deve ter ouvido.

quando olho em minha caixa de correio todas as mensagens que guardei ali, vejo que o rosto de isaac foi substituído por um quadrado cinza cortado por um X vermelho.

"este perfil não existe mais", diz.

assim, as mensagens dele permanecem, mas ele se foi.

vejo algumas pessoas me lançando olhares estranhos na escola no dia seguinte e me pergunto se seria possível refazer o caminho que a fofoca percorreu partindo de derek ou de simon até o garoto alto e arrogante que me fuzila com os olhos. naturalmente, é possível que o garoto alto e arrogante tenha sempre me fuzilado com os olhos, e eu só esteja notando agora. tento não dar a mínima.

maura está quieta, mas presumo que seja porque está planejando o próximo ataque. queria dizer a ela que não vale a pena. talvez nossa amizade não estivesse mesmo destinada a durar mais que um ano. talvez as coisas que nos aproximaram — melancolia, desgraça, sarcasmo — não foram concebidas para nos manter unidos. a merda é que sinto falta de isaac, mas não sinto dela. mesmo sabendo que isaac era ela.

nenhuma daquelas conversas tem mais importância. lamento sinceramente que maura tenha chegado a esse nível de insanidade pra me fazer contar a verdade — teria sido melhor para os dois se não tivéssemos sido amigos em primeiro lugar. não vou tentar puni-la — não vou sair contando pra todos o que fez, nem pôr uma bomba em seu armário, nem gritar com ela na frente de todo mundo. só quero que ela vá embora. só isso. the end.

pouco antes do almoço, um garoto chamado gideon me aborda diante do meu armário. na verdade, não nos falamos desde o sétimo ano, quando fazíamos dupla no laboratório de ciências da terra. então ele se destacou nos estudos, e eu não. sempre gostei dele e mantivemos um relacionamento do tipo oi-no-corredor. ele costuma ser o dj nas festas, principalmente aquelas a que não vou.

gideon: oi, will.
eu: oi.

tenho certeza de que ele não está aqui pra me criticar. a camiseta dele do lcd soundsystem meio que revela isso.

gideon: então, é... ouvi dizer que você talvez seja, você sabe...
eu: ambidestro? filatelista? homossexual?

ele sorri.

gideon: é. e, eu não sei, mas, quando me dei conta de que eu era gay, foi muito ruim que ninguém dissesse algo como "muito bem". então eu só quis vir aqui dizer...

eu: muito bem?

ele fica vermelho.

gideon: bem, parece idiota assim. mas essa é a essência. bem-vindo ao clube. é um clube muito pequeno nesta escola.

eu: espero que não haja taxas...

ele fita os próprios sapatos.

gideon: hã, não. não é um clube *de fato.*

se tiny fosse da nossa escola, imagino que seria mesmo um clube. e ele seria o presidente.

sorrio. gideon levanta os olhos e vê.

gideon: talvez, se você quiser, não sei, a gente pode tomar um café ou alguma coisa depois da escola...?

demoro um segundo.

eu: você está me chamando pra sair?

gideon: hum, talvez?

bem aqui no corredor. com toda essa gente à nossa volta. impressionante.

eu: o negócio é o seguinte: eu adoraria sair com você. mas... tenho um namorado.

essas palavras estão de fato saindo da minha boca. im-pressionante.

gideon: ah.

pego meu celular e mostro a ele a caixa de entrada cheia de mensagens de tiny.

eu: juro que não estou inventando isso só pra fugir de um encontro com você. o nome dele é tiny. estuda na evanston.
gideon: você tem muita sorte.

essa não é uma palavra que costuma ser aplicada a mim.

eu: por que você não senta comigo, simon e derek no almoço?
gideon: eles também são gays?
eu: só se você for um feiticeiro.

um minuto depois mando uma mensagem pra tiny.

FIZ UM NOVO AMIGO GAY.

e ele responde

PROGRESSO!!!

então

VOCÊ DEVIA FORMAR UMA AGH!

ao que respondo

UM PASSO DE CADA VEZ, BIG BOY

e ele retruca

BIG BOY — ADOREI!

as mensagens prosseguem pelo resto do dia e noite adentro. é incrível, de verdade, com que frequência se pode escrever pra alguém com um limite baixo de caracteres. é tão idiota, porque a sensação que tenho é de que tiny está passando o dia comigo. como se estivesse presente quando ignoro maura, converso com gideon ou descubro que ninguém vai me assassinar com um machado na aula de educação física porque estou transmitindo uma vibe homossexual.

ainda assim, não é o bastante. porque me sentia assim às vezes com isaac. e não vou deixar esse relacionamento acontecer todo na minha cabeça.

assim, nessa noite, ligo pra tiny e falo com ele. digo que quero que ele venha me visitar. e ele não inventa desculpas. não diz que é impossível. em vez disso, pergunta

tiny: quando?

admito que existe um certo grau de se importar em não se importar. ao dizer que você não se importa se o mundo desmorona, está dizendo que quer que ele se mantenha de pé, nas suas condições.

quando encerro minha conversa com tiny e desligo, minha mãe entra no meu quarto.

mãe: como está indo?
eu: bem.

e é verdade, pela primeira vez.

capítulo treze

Acordo com o som do meu despertador berrando ritmicamente, e parece alto como uma sirene de ambulância, gritando comigo com tamanha ferocidade que quase chega a ferir meus sentimentos. Rolo na cama e estreito os olhos na escuridão: 5h43 da manhã. Meu alarme não toca antes das 6h37. E só então percebo: o barulho não vem do meu despertador. É de uma buzina, estridente, soando uma espécie de terrível canção de sereias pelas ruas de Evanston, um anúncio uivante de desgraça. Buzinas não tocam assim tão cedo, não com tamanha insistência. Deve ser uma emergência.

Levanto correndo da cama, visto um jeans e corro na direção da porta da frente. Sinto alívio ao ver tanto minha mãe quanto meu pai vivos, correndo para a entrada. Digo: "Meu Deus, o que está acontecendo?" e minha mãe se limita a dar de ombros e meu pai pergunta: "Isso é uma buzina de carro?" Chego à porta primeiro e espio pelo vidro lateral.

Tiny Cooper está estacionado diante da minha casa, buzinando metodicamente.

Corro pra fora e só quando me vê ele para de buzinar. A janela do passageiro se abre.

— Meu Deus, Tiny. Você vai acordar toda a vizinhança.

Vejo uma lata de Red Bull dançando em sua mão imensa e trêmula. A outra mão permanece na buzina, pronta pra apertá-la a qualquer momento.

— Precisamos ir — diz ele, a voz apressada. — Ande, vamos vamos vamos vamos vamos.

— Qual é o problema com você?

— Temos de ir pra escola. Explico depois. Entre no carro.

— Ele soa tão freneticamente sério, e eu estou tão cansado, que nem penso em questioná-lo. Então simplesmente entro em casa correndo, calço meias e sapatos, escovo os dentes, digo aos meus pais que vou pra escola mais cedo e entro apressado no carro de Tiny.

— Cinco coisas, Grayson — começa ele ao engatar o carro e acelerar, sem que a mão trêmula jamais abandone a lata de Red Bull.

— O que foi? Tiny, qual é o problema?

— Não há nenhum problema. Está tudo certo. As coisas não podiam estar mais certas. Podiam ser menos cansativas. Menos agitadas. Menos cafeinadas. Mas não podiam ser mais certas.

— Cara, você tomou metanfetamina?

— Não, tomei Red Bull. — Ele me entrega a latinha, e eu a cheiro, tentando descobrir se o Red Bull está misturado com alguma coisa. — E café — acrescenta. — Então ouça, Grayson. Cinco coisas.

— Não posso acreditar que você acordou todos os meus vizinhos às 5h43 sem nenhum motivo.

— Na verdade — diz ele, a voz mais alta do que parece necessário tão cedo —, eu te acordei por *cinco* razões, que é o que estou tentando te dizer, só que você fica me interrompendo, o que é uma coisa muito, assim, Tiny Cooper de se fazer.

Conheço Tiny Cooper desde que ele era um aluno muito grande e muito gay do quinto ano. Já o vi bêbado e sóbrio, faminto e saciado, barulhento e mais barulhento ainda, apaixonado e com saudade. Já o vi em bons e maus momentos, na saúde e na doença. E em todos esses anos, ele nunca antes fez uma piada autodepreciativa. Não posso deixar de pensar: talvez Tiny Cooper devesse fritar os miolos com cafeína mais vezes.

— Ok, quais são as cinco coisas? — pergunto.

— Um: terminei de selecionar o elenco da peça ontem à noite, por volta das 23h, enquanto estava no skype com Will Grayson. Ele me ajudou. Eu imitei todos os candidatos em potencial e ele me ajudou a decidir quem era o menos horrível.

— O outro Will Grayson — corrigi.

— Dois — continua ele, como se não tivesse me ouvido.
— Logo depois, Will foi dormir. E eu pensei comigo mesmo: sabe, faz oito dias que o conheci, e tecnicamente não gostei de alguém que também gostasse de mim por oito dias em toda a minha vida, a menos que você conte meu relacionamento com Bethany Keene no terceiro ano, o que obviamente não se pode fazer, já que ela é uma garota.

"Três, e então eu estava pensando nisso, deitado na cama, olhando pro teto e pude ver as estrelas que colamos lá no sexto ano ou sei lá. Você lembra? As estrelas que brilham no escuro, o cometa e tudo mais?"

Faço que sim com a cabeça, mas ele não olha pra mim, embora estejamos parados em um sinal.

— Bem — continua ele —, eu estava olhando praquelas estrelas e elas estavam se apagando porque fazia alguns minutos que eu havia desligado a luz, e então vivenciei um despertar espiritual ofuscante. Do que trata *Tiny Dancer*? Quero dizer, qual é o tema, Grayson? Você leu.

Presumo que, como sempre, ele esteja fazendo uma pergunta retórica, então não digo nada pra que ele prossiga reclamando, porque, por mais doloroso que seja admitir isso, tem algo de maravilhoso no palavrório de Tiny, principalmente em uma rua silenciosa quando ainda estou semiadormecido. Tem alguma coisa no simples ato de ele falar que é vagamente prazeroso, embora eu preferisse que não fosse. É alguma coisa em sua voz, não no tom ou na dicção cafeinada e veloz, mas na voz propriamente dita — sua familiaridade, acho, porém também em seu aspecto inesgotável.

Mas ele não diz nada por um tempo e então percebo que ele espera, sim, que eu responda. Não sei o que ele quer ouvir, então no fim digo simplesmente a verdade.

— *Tiny Dancer* é sobre Tiny Cooper — respondo.

— *Exatamente!* — grita ele, socando o volante. — E nenhum grande musical é sobre uma pessoa, não mesmo. E é esse o problema. Esse é todo o problema com a peça. Ela não fala de tolerância ou compreensão ou amor ou qualquer outra coisa. Fala de *mim*. E, assim, nada contra mim. Quero dizer, sou mesmo fabuloso. Não sou?

— Você é um pilar do que é mais fabuloso na comunidade — digo a ele.

— Sim, exato — retruca ele. Está sorrindo, mas é difícil dizer até que ponto está brincando. Estamos chegando à escola agora, o lugar inteiramente morto, nem um único carro no estacionamento dos professores. Ele entra no lugar de costume, pega a mochila no banco traseiro, salta e começa a atravessar o lugar deserto. Eu o sigo.

— Quatro — diz ele. — Então percebi que, apesar de meu grande e incrível caráter fabuloso, a peça não pode ser sobre mim. Precisa ser sobre algo ainda mais fabuloso: o amor. O muito esplendoroso manto de mil cores do amor em toda a sua miríade de glórias. E, assim, tinha de ser revisada. E rebatizada. E então tive de ficar acordado a noite toda. E escrevi feito louco, escrevi um musical intitulado *Me abrace mais forte*. Vamos precisar de mais cenários do que pensei. E mais! E mais! Mais vozes no coro. O coro deve ser como uma porra de um *muro* de canções, sabe?

— Claro, sim. Qual é a quinta coisa?

— Ah, tá. — Ele contorce o ombro, livrando-o da mochila, e a desliza para o peito. Abre o zíper da divisória da frente, vasculha o conteúdo por um momento e então tira uma rosa feita inteiramente de fita adesiva verde. E a entrega a mim.

— Quando fico estressado — explica — fico habilidoso. Ok. Ok. Vou para o auditório começar a esboçar algumas cenas, ver como o material novo fica no palco.

Eu paro de andar.

— Há, você precisa que eu ajude ou algo assim?

Ele balança a cabeça negativamente.

— Sem ofensa, Grayson, mas quais são exatamente suas qualidades para o teatro?

Ele já está se afastando, e tento ficar na minha, firme, mas finalmente corro atrás dele até os degraus da escola, porque tenho uma pergunta urgente.

— Então por que diabos você me acordou às 5h43 da madrugada?

Ele se volta para mim. É impossível não sentir a imensidão de Tiny quando ele se agiganta sobre os ombros pra trás, sua largura quase bloqueando inteiramente a visão da escola atrás de si, seu corpo como um feixe de minúsculos tremores. Seus olhos estão arregalados de maneira pouco natural, como os de um zumbi.

— Bem, eu precisava contar pra *alguém* — diz.

Fico pensando nisso por um minuto, e então o sigo até o auditório. Pela próxima hora, observo Tiny correr de um lado pro outro do teatro como um lunático alvoroçado, murmurando para si mesmo. Ele coloca fita adesiva no chão pra marcar seus cenários imaginários, faz piruetas pelo palco enquanto sussurra letras de músicas em ritmo acelerado, e, de vez em quando, grita:

— Não é sobre Tiny! É sobre o amor!

Então as pessoas começam a entrar para a aula de teatro no primeiro tempo, e Tiny e eu vamos para a aula de pré-cálculo, onde Tiny executa o milagre do Homem-Grande-na-Carteira-Pequena e eu sinto o assombro costumeiro. As aulas são um tédio e então, na hora do almoço, estou sentado com Gary, Nick e Tiny; Tiny falando sobre seu despertar espiritual ofuscante de uma maneira que — nada contra Tiny — meio que deixa implícito que talvez ele não tenha internalizado completamente a ideia de que a terra não gira em torno do eixo Tiny Cooper, e então pergunto a Gary:

— Ei, cadê a Jane?

E Gary responde:

— Tá doente.

Ao que Nick acrescenta:

— Com a doença vou-passar-o-dia-no-jardim-botânico-com-meu-namorado.

Gary lança a Nick um olhar de desaprovação.

Tiny rapidamente muda o assunto, e eu tento rir em todos os momentos apropriados pelo restante do almoço, mas não estou mais ouvindo.

Sei que ela está namorando o Sr. Bobalhão McPolo Aquático, e sei que, às vezes, quando namora, você pratica atividades idiotas, como ir ao jardim botânico, mas, apesar de todo esse conhecimento que deveria me proteger, ainda me sinto um merda pelo resto do dia. *Um dia desses*, fico me dizendo, *você vai aprender a calar a boca de verdade e não se importar.* E até lá... Bem, até lá vou ficar respirando fundo porque a sensação que tenho é de que o ar me foi tirado. Apesar de não chorar, certamente eu me sinto muito pior do que no fim de *Todos os cães merecem o céu.*

Ligo pra Tiny depois da escola, mas cai no correio de voz, então mando uma mensagem de texto pra ele: "O Will Grayson original solicita o prazer de um telefonema quando possível." Ele só liga às 21h30. Estou no sofá, assistindo a uma estúpida comédia romântica com meus pais. Os pratos de nosso jantar chinês-pra-viagem-colocado-em-pratos-de-verdade-pra-que-você-tenha-a-sensação-de-que-é-feito-em-casa ocupam a mesa de centro. Meu pai está cochilando, como sempre acontece quando não está trabalhando. Minha mãe se senta mais perto de mim do que parece necessário.

Assistindo ao filme, não consigo parar de pensar em querer estar no ridículo jardim botânico com Jane. Só caminhando, ela vestindo agasalho de capuz e eu fazendo piadas com os nomes das plantas em latim, e ela dizendo que *Ficaria verna* seria um bom nome pra um grupo de hip hop nerdcore que só faz rap em latim, e assim por diante. Na verdade, posso visualizar a maldita cena por completo, o que faz com que meu desespero chegue quase a ponto de me queixar com minha mãe sobre a situação, mas isso só vai significar perguntas sobre Jane pelos próximos sete a dez anos. Meus pais têm tão poucos detalhes sobre minha vida particular que sempre que esbarram em alguma migalha, agarram-se a ela por éons. Gostaria que fossem mais hábeis em esconder seu desejo de que eu tivesse toneladas de amigos e namoradas.

Portanto/mas/e Tiny liga, e eu digo: "Oi", e então me levanto e vou pro meu quarto e fecho a porta, e nesse tempo todo Tiny não diz nada. Então digo:

— Alô?

E ele fala distraído:

— Sim, oi.

Eu o ouço digitar.

— Tiny, você está digitando?

Após um momento, ele diz:

— Espere um segundo. Deixe eu terminar esta frase.

— Tiny, *você* ligou pra *mim*.

Silêncio. Digitação. E então:

— Sim, eu sei. Mas, hã, tenho de mudar a última música. Não pode falar de mim. Precisa falar de amor.

— Queria não ter dado aquele beijo nela. Essa história toda do namorado meio que está roendo o meu cérebro.

E então fico em silêncio e, instantes depois, ele finalmente diz:

— Desculpe, Will acaba de me mandar uma mensagem. Está me contando sobre o almoço com esse novo amigo gay que fez. Sei que não é um encontro, já que é na cantina, mas ainda assim... Gideon. Ele *parece* gostoso. É incrível que Will esteja se abrindo tanto. Ele tipo saiu do armário pro mundo inteiro. Juro por Deus que acho que ele escreveu pro presidente dos Estados Unidos, dizendo: "Caro Sr. Presidente, eu sou gay. Atenciosamente, Will Grayson." Isso é de uma beleza fodida, Grayson.

— Você ouviu o que eu disse?

— Jane e o namorado comeram seu cérebro — responde, sem interesse.

— Eu juro, Tiny, que às vezes... — Então me contenho, evitando dizer algo patético, e recomeço: — Quer fazer alguma coisa depois da escola amanhã? Jogar dardos ou alguma coisa na sua casa?

— Ensaio, depois reescrever alguns trechos, depois Will ao telefone, depois cama. Você pode assistir ao ensaio, se quiser.

— Não — respondo. — Tudo bem.

Depois que desligo, tento ler *Hamlet* um pouco, mas não entendo o texto muito bem e tenho de ficar olhando a margem à direita, onde eles definem as palavras, e isso me faz me sentir um idiota.

Não muito inteligente. Não muito bonito. Não muito legal. Não muito engraçado. Esse sou eu: não muito.

Estou deitado por cima da colcha, ainda de roupa, o livro no peito, os olhos fechados, a mente em disparada. Estou pensando em Tiny. A coisa patética que queria dizer a ele ao telefone — mas não disse — era o seguinte: quando você é pequeno, você tem uma coisa. Pode ser um cobertorzinho, um animal de pelúcia ou qualquer outra coisa. Pra mim, era um cãozinho da pradaria de pelúcia que ganhei de Natal quando tinha 3 anos. Nem sei onde encontraram um cão da pradaria de pelúcia, mas, seja como for, ele se sentava nas patas traseiras e eu o chamava de Marvin, e o arrastava de um lado pro outro, puxando-o pelas orelhas, até ter uns 10 anos.

E então, a certa altura, não era nada pessoal contra Marvin, mas ele começou a passar mais tempo no armário com meus outros brinquedos, e depois mais tempo ainda, até que finalmente Marvin se tornou residente fixo do armário.

Mas, por muitos anos ainda, às vezes, eu tirava Marvin do armário e ficava com ele um pouco — não por mim, mas por Marvin. Sabia que era loucura, mas ainda assim fazia.

E o que eu queria dizer a Tiny é que, às vezes, me sinto como se eu fosse o Marvin dele.

Lembro da gente juntos: de Tiny e eu na educação física na escola, e de como as fábricas de trajes esportivos não faziam shorts grandes o bastante e ele parecia sempre estar usando uma sunga bem justa. Tiny dominando no queimado apesar de sua largura, e sempre me deixando terminar em segundo pelo simples fato de me colocar em sua sombra e não me queimar até o fim. Tiny e eu na Parada do Orgulho Gay em Boys Town, em nosso nono ano, ele dizendo: "Grayson, eu sou gay", e eu retrucando: "Ah, é mesmo? E o céu é azul? O sol nasce no leste? O Papa é católico?", e ele continuando: "E Tiny Cooper é fabuloso? Os pássaros choram de emoção quando ouvem Tiny Cooper cantar?"

Penso em quanta coisa depende de um melhor amigo. Quando você acorda de manhã, senta, põe os pés no chão e se levanta. Você não escorrega até a borda da cama e olha pra baixo pra se certificar de que o chão está lá. O chão está sempre lá. Até o dia em que não está.

É idiotice culpar o outro Will Grayson por algo que estava acontecendo antes que o outro Will Grayson existisse. E, no entanto.

No entanto continuo pensando nele, e pensando em seu olhar fixo na Frenchy's, esperando alguém que não existia. Em minha lembrança, seus olhos ficam cada vez maiores, quase como se ele fosse um personagem de mangá. E então penso no cara, Isaac, que era uma garota. Mas as coisas que foram ditas e que fizeram Will ir até a Frenchy's encontrar aquele cara — essas coisas *foram* ditas. Elas eram reais.

De repente, pego meu celular na mesinha de cabeceira e ligo pra Jane. Caixa postal. Olho pro relógio no telefone: são 21h42. Ligo pra Gary. Ele atende no quinto toque.

— Will?

— Oi, Gary. Você sabe onde a Jane mora?

— Hã, sim?

— Pode me dar o endereço?

Ele faz uma pausa.

— Você está stalkeando ela, Will?

— Não, eu juro. Tenho uma pergunta de ciências — digo.

— Você tem uma pergunta de ciências numa noite de terça-feira às 21h42?

— Exatamente.

— Wesley, 1.712.

— E onde fica o quarto dela?

— Eu preciso dizer, cara, que meu radar de stalker está entrando na zona vermelha neste momento.

Não digo nada, à espera.

E então ele finalmente completa:

— Se estive diante da casa, fica de frente, à esquerda.

— Maravilha, obrigado.

No caminho pra porta pego as chaves no balcão da cozinha, e meu pai pergunta onde estou indo, e tento me safar com: "sair", mas isso só resulta numa pausa na TV. Ele se aproxima, como se para me lembrar de que é apenas um pouquinho mais alto que eu, e diz com ar severo:

— Sai com *quem* e para *onde*?

— Tiny quer minha ajuda com a peça idiota dele.

— De volta às 23h — diz minha mãe do sofá.

— Ok — respondo.

Ando pela rua até o carro. Posso ver minha respiração, mas não sinto frio, exceto nas mãos sem luvas, e fico parado ao lado do carro por um segundo, olhando o céu, a luz laranja vindo da cidade ao sul, as árvores que margeiam a rua, desfolhadas, imóveis na brisa. Abro a porta, o que quebra o silêncio, e dirijo um quilômetro até a casa de Jane. Encontro uma vaga meia quadra depois da casa e volto caminhando até a construção antiga, de dois andares, com uma varanda grande. Essas casas não são baratas. Tem uma luz acesa no quarto da frente à esquerda, mas, assim que chego lá, desisto de me aproximar. E se ela estiver trocando de roupa? E se estiver deitada na cama e vir um assustador rosto de homem pressionado contra a vidraça? E se ela estiver se pegando com Randall McBaitola? Assim, mando uma mensagem de texto pra ela: "Entenda isso da forma menos stalker possível: estou diante da sua casa." São 21h47. Decido que vou esperar até 21h50 e então vou embora. Enfio uma das mãos no bolso do jeans e seguro o telefone com a outra, pressionando o botão do volume todas as vezes que a tela apaga. Ela mostra 21h49 há pelo menos dez segundos quando a porta da frente se abre e Jane espia do lado de fora.

Aceno muito discretamente, a mão chegando sequer a se elevar acima da cabeça. Jane leva um dedo aos lábios e então, teatralmente, sai da casa na ponta dos pés e fecha a porta muito devagar. Desce os degraus da varanda, e à luz da varanda posso ver que está usando o mesmo agasalho de capuz verde, só que agora com calça de pijama de flanela vermelha e meias. Sem sapatos.

Ela vem até mim e sussurra:

— É um prazer ligeiramente assustador vê-lo aqui.

E eu digo:

— Tenho uma pergunta científica.

Ela sorri e faz que sim com a cabeça.

— É claro que tem. Você está se perguntando como é cientificamente possível que esteja prestando oh-tão-mais atenção em mim agora que tenho um namorado, sendo que estava totalmente desinteressado antes. Infelizmente, a

ciência se sente perplexa diante dos mistérios da psicologia
masculina.

Mas eu tenho de fato uma pergunta de ciências — sobre
Tiny e mim, e sobre ela, e sobre gatos.

— Você pode me explicar sobre o gato de Schrödinger?

— Venha — diz ela, segurando o meu casaco e me puxando pela calçada. Caminho ao lado dela, sem dizer nada,
enquanto ela murmura:

— Deus, Deus, Deus, Deus, Deus, Deus, Deus.

E eu digo:

— Qual é o problema?

E ela diz:

— Você. Você, Grayson. Você é o problema.

E eu pergunto:

— O quê?

E ela responde:

— Você sabe.

E eu digo:

— Não sei.

E ela, ainda andando e sem me olhar, diz:

— Provavelmente existem garotas que não querem garotos
aparecendo na casa delas aleatoriamente numa noite de terça
com perguntas sobre Edwin Schrödinger. Tenho certeza de
que existem garotas assim. Mas elas não moram na minha casa.

Paramos umas cinco ou seis casas depois da de Jane, perto
de onde meu carro está estacionado, e então ela se vira na direção de uma propriedade com uma placa de À VENDA e sobe
os degraus até um balanço na varanda. Ela se senta e bate a
mão no lugar ao seu lado.

— Ninguém mora aqui? — pergunto.

— Não. Está à venda há mais ou menos um ano.

— Você provavelmente beijou o Bobalhão neste balanço.

— É provável — responde. — Schrödinger estava fazendo um experimento mental. Muito bem, um estudo havia acabado de ser publicado, argumentando que se um elétron pode estar em um dentre quatro lugares diferentes, está tipo em todos os quatro lugares ao mesmo tempo até o momento em que alguém determina em qual dos quatro lugares ele está. Isso faz sentido?

— Não — respondo. Ela está usando meias curtas brancas, e posso ver seu tornozelo quando ela ergue os pés no ar pra manter o balanço em movimento.

— Certo, não faz o menor sentido. É alucinantemente estranho. Então Schrödinger tenta destacar isso. Ele diz: ponha um gato dentro de uma caixa lacrada com um pouquinho de material radioativo que possa ou não, dependendo da localização de suas partículas subatômicas, fazer com que um detector de radiação acione um martelo que libera veneno na caixa e mata o gato. Entendeu?

— Acho que sim — respondo.

— Assim, de acordo com a teoria de que elétrons estão em todas-as-posições-possíveis até que sejam determinados, o gato está tanto vivo quanto morto até abrirmos a caixa e descobrirmos se ele está vivo ou morto. Schrödinger não estava promovendo a matança de gatos nem nada. Só estava dizendo que parecia um pouco improvável que um gato pudesse estar simultaneamente vivo e morto.

Mas isso não me parece assim tão improvável. Para mim, parece que todas as coisas que mantemos em caixas lacradas *estão*, ao mesmo tempo, vivas e mortas até abrirmos a caixa, que o não visto está tanto lá como não está. Talvez seja por isso que não consigo parar de pensar nos olhos imensos do outro Will Grayson na Frenchy's: porque ele tinha acabado de dar o gato vivo-e-morto como morto. Percebo que é por isso que nunca me coloco em uma situação em que eu realmente *precise* de Tiny, e por que segui as regras em vez de beijá-la quando ela estava disponível: escolhi a caixa fechada.

— Ok — digo. Sem olhar pra ela. — Acho que entendi.

— Bem, isso não é tudo, na verdade. É um pouco mais complicado.

— Não creio que eu seja inteligente o suficiente para compreender algo mais complicado — afirmo.

— Não se subestime — diz ela.

O balanço da varanda range enquanto tento repensar tudo. Olho pra ela.

— Por fim, eles concluíram que manter a caixa fechada na verdade não mantém o gato vivo-e-morto. Mesmo que *você* não veja o gato no estado em que ele se encontra, qualquer que seja, o ar observa. Portanto, manter a caixa fechada apenas mantém *você* no escuro, não o universo.

— Entendi — respondo. — Mas deixar de abrir a caixa não mata o gato.

Não estamos mais falando de física.

— Não — diz ela. — O gato já estava morto, ou vivo, conforme o caso.

— Bem, o gato tem um namorado — falo.

— Talvez o físico goste do fato de o gato ter um namorado.

— É possível — concordo.

— Amigos — diz ela.

— Amigos — repito. Selamos o acordo com um aperto de mãos.

capítulo quatorze

minha mãe insiste que, antes de eu ir a qualquer lugar com tiny, ele tem de vir jantar aqui em casa. tenho certeza de que ela consulta todos os websites de predadores sexuais antes. não acredita que eu o tenha conhecido na internet. e, dadas as circunstâncias, não posso mesmo culpá-la. ela fica um pouco surpresa quando eu concordo com o plano, mesmo que eu diga

eu: só não pergunte sobre os 43 ex-namorados dele, está bem? ou por que anda por aí carregando um machado.
mãe: ...
eu: estou brincando em relação ao machado.

mas, na verdade, nada do que eu possa falar consegue acalmar a mulher. é insano. ela coloca aquelas luvas de borracha amarelas e começa a esfregar com a intensidade que você em geral reserva para quando alguém vomita em cima da mobília. digo que não precisa fazer aquilo, porque afinal tiny não vai comer no chão. mas ela apenas faz um gesto com a mão me dispensando e me manda limpar o quarto.

eu tenho a intenção de limpar o quarto. tenho, de verdade, mas tudo que consigo fazer é limpar o histórico do meu navegador da web, e então me sinto totalmente exausto. não pense que não limpo a meleca da minha cama de manhã. sou um cara bastante limpo. todas as roupas sujas estão enfiadas no fundo do armário. ele não vai vê-las.

por fim, é a hora de ele chegar. na escola, gideon me pergunta se estou nervoso com a visita de tiny, e digo a ele que não. mas, claro, isso é mentira. estou nervoso principalmente por causa da minha mãe e de como ela vai agir.

estou esperando por ele na cozinha, e ela corre de um lado para o outro feito louca.

mãe: eu devia arrumar a salada.

eu: por que você devia arrumar a salada?

mãe: tiny não gosta de salada?

eu: eu disse pra você que acho que tiny comeria bebês focas se a gente servisse isso. mas o que estou perguntando é: por que você precisa arrumar a salada? quem a desarrumou? eu nem cheguei perto. foi você quem bagunçou a salada, mãe? se foi você, É MELHOR ARRUMAR!

estou fazendo piada, mas ela não acha a menor graça. e eu penso: *não era eu quem devia estar surtando aqui?* tiny vai ser o primeiro n-n-n- (não consigo) namor-r-r- (vamos lá, will) namora-namora (aqui vamos nós) namorado meu que ela conhece. embora, se ela continuar falando de salada, talvez eu tenha de trancá-la no quarto antes de ele chegar.

mãe: tem certeza de que ele não é alérgico a nada?

eu: fique. calma.

como se de repente eu tivesse habilidades supercaninas, ouço um carro parando na entrada de casa. antes que minha mãe possa me mandar pentear o cabelo e calçar sapatos, já estou saindo pela porta e vendo tiny desligar a ignição.

eu: corra! corra!

mas o rádio está tão alto que tiny não consegue me ouvir. ele apenas sorri. quando abre a porta, dou uma olhada no carro dele.

eu: mas que...?!?

é um mercedes prata — o tipo de carro que você esperaria ver dirigido por um cirurgião plástico — e não o tipo de cirurgião plástico que conserta os rostos estragados de bebês africanos famintos, mas o tipo de cirurgião plástico que convence as mulheres de que a vida delas acabará se aparentarem mais de 12 anos.

tiny: saudações, terráqueo! venho em paz. leve-me ao seu líder!

devia ser estranho tê-lo à minha frente em nosso segundo encontro apenas, e devia ser muito excitante estar prestes a ser arrebatado naqueles grandes braços, mas, na realidade, ainda estou embasbacado com o carro.

eu: por favor, me diga que você roubou isso.

ele parece um pouco confuso, e ergue a bolsa de compras que está segurando.

tiny: isto?

eu: não. o carro.

tiny: ah. bem, *de fato* eu roubei.

eu: você roubou?

tiny: sim, da minha mãe. meu carro estava quase sem gasolina.

que bizarro. todas as vezes em que nos falamos, trocamos mensagens ou sei lá o quê, sempre imaginei tiny numa casa como a minha, ou uma escola como a minha, ou num carro como o que eu talvez ganhe um dia — um carro quase da minha idade, provavelmente comprado de uma velha que não tenha mais permissão para dirigir. agora percebo que não é nada disso.

eu: você mora num casarão, né?

tiny: grande o bastante pra me caber!

eu: não é disso que estou falando.

não tenho a menor ideia do que estou fazendo. porque mudei totalmente nosso ritmo, e embora ele esteja bem diante de mim agora, não é como deveria ser.

tiny: vem cá, vem.

e, com isso, ele põe a sacola no chão e abre os braços pra mim, e seu sorriso é tão largo que eu seria um babaca de fazer qualquer coisa que não fosse seguir direto para suas boas-vindas. uma vez ali, ele se inclina e me beija de leve.

tiny: olá.

eu o beijo de volta.

eu: olá.

ok, então essa é a realidade: ele está aqui. ele é real. nós somos reais. eu não deveria me importar com o carro dele.

minha mãe já tirou o avental quando entramos em casa. embora eu tenha avisado a ela que ele tem o formato de utah, ainda há um breve momento de perplexidade quando ela vê tiny pessoalmente pela primeira vez. ele deve estar acostumado a isso, ou talvez não se importe, porque segue direto até ela e começa a dizer todas as coisas certas, sobre o quanto está entusiasmado em conhecê-la, o quão incrível é ela preparar o jantar e o quanto a casa é maravilhosa.

mamãe indica a ele o sofá e pergunta se quer beber alguma coisa.

mãe: temos coca, coca diet, limonada, suco de laranja...
tiny: aah, eu adoro limonada.
eu: não é limonada de verdade. é só refresco sabor limão.

tanto minha mãe quanto tiny me olham como se eu fosse a porra do grinch.

eu: não queria que você ficasse todo animado na expectativa de limonada de verdade!

não posso evitar — estou vendo nosso apartamento através dos olhos dele, nossa vida toda pelos olhos dele — e tudo parece tão... pobre. as manchas de infiltração no teto e o tapete de cor entediante e a tv de décadas. a casa inteira cheira a dívida.

mãe: por que você não se senta com tiny e eu pego uma coca pra você?

eu tomei meu remédio de manhã, juro. mas é como se ele tivesse ido parar na minha perna e não no meu cérebro, porque simplesmente não consigo me sentir feliz. eu me sento no sofá e assim que minha mãe sai da sala, a mão de tiny está na minha mão, seus dedos acariciando os meus.

tiny: está tudo bem, will. estou adorando estar aqui.

sei que ele está tendo uma semana ruim. sei que as coisas não têm saído do jeito dele e que ele está preocupado que o show vá ser um fracasso. ele o está reescrevendo diariamente. ("quem diria que seria tão complicado introduzir o amor em 14 músicas?") sei que ele estava esperando esse encontro — e sei que *eu* estava esperando esse encontro. mas agora tenho que parar de olhar adiante e começar a olhar para o lugar em que estou. é difícil.

recosto-me no ombro carnudo de tiny.

não posso acreditar que eu fique excitado com alguma coisa a qual me refiro como "carnudo".

eu: esta é a parte ruim, ok? então foque na parte boa. prometo que virá logo.

quando minha mãe retorna, ainda estou recostado ali. ela não hesita, não para, não parece se importar. pousa nossas bebidas e então volta correndo pra cozinha. ouço o fogão abrir e fechar, em seguida o ruído de uma espátula raspando em um tabuleiro. um minuto depois, ela está de volta com uma travessa de minicachorros-quentes e minirrolinhos primavera. tem até duas tigelinhas, uma com ketchup e a outra com mostarda.

tiny: hummm!

caímos dentro. tiny começa a contar à mamãe sobre a semana que teve e dar tantos detalhes sobre *me abrace mais forte* que eu vejo que ela está totalmente perdida. enquanto ele fala, ela permanece acima de nós, até que finalmente digo que deveria se juntar a nós e se sentar. assim, ela puxa uma cadeira e se põe a ouvir, até mesmo comendo um ou dois rolinhos primavera.

a situação começa a parecer mais normal. tiny aqui. minha mãe vendo nós dois. eu sentado de modo que pelo menos uma parte do meu corpo está sempre em contato com o dele. é quase como se eu estivesse de volta ao millennium park com ele, continuando nossa primeira conversa, como se manipulasse o tempo, e isso é o que se espera que aconteça. como sempre, a única pergunta é se vou estragar tudo.

quando não tem mais comida pra beliscar, minha mãe recolhe os pratos e avisa que o jantar vai estar pronto em alguns minutos. assim que ela deixa a sala, tiny se vira pra mim.

tiny: amei sua mãe.

sim, penso, ele é o tipo de pessoa que pode amar alguém assim facilmente.

eu: ela não é má.

quando ela volta pra nos dizer que o jantar está pronto, tiny se levanta de um salto do sofá.

tiny: aah! eu quase esqueci.

ele pega a sacola de compras que trouxe e a entrega à minha mãe.

tiny: um presente pra dona da casa!

mamãe parece surpresa de verdade. tira uma caixa da sacola — tem um laço e tudo mais. tiny volta a se sentar pra que ela não se sinta constrangida de se sentar pra abri-la. com muito cuidado, ela desfaz o laço. então levanta a tampa da caixa delicadamente, abrindo-a. vê-se um forro de espuma preta, e alguma coisa envolta em plástico bolha. com mais cuidado ainda, ela retira o papel e ergue uma tigela simples de vidro.

a princípio, não entendo. quero dizer, é uma tigela de vidro. mas mamãe prende o fôlego. ela pisca pra impedir as lágrimas. porque não se trata apenas de uma simples tigela de vidro. é perfeita. é tão lisa e perfeita que nós todos nos sentamos ali e a fitamos por um momento, enquanto minha mãe gira o objeto lentamente nas mãos. mesmo em nossa sala pobre, ela captura a luz.

ninguém lhe dá nada parecido há séculos. talvez nunca tenha dado. ninguém jamais lhe dá nada bonito assim.

tiny: eu mesmo escolhi!

ele não tem a menor ideia. não tem a menor pista do que acaba de fazer.

mãe: ah, tiny...

ela está sem palavras. mas eu posso ver. é a maneira como ela segura a tigela. é a maneira como olha pra ela.

eu sei o que o cérebro a está mandando fazer — dizer que é demais, que ela não poderia aceitar tal coisa. mesmo que ela a queira muito. mesmo que a ame muito.

por isso, sou eu quem diz

eu: é linda. muito obrigado, tiny.

eu o abraço, transmitindo-lhe meu obrigado dessa maneira também. então minha mãe põe a tigela na mesinha de cen tro que ela limpou até brilhar. ela está se levantando, e está abrindo os braços, e então ele a abraça também.

isso é o que eu nunca me permito precisar.

e, é claro, venho precisando disso o tempo todo.

pra falar a verdade, tiny come a maior parte do frango à parmegiana no jantar, e conduz a maior parte da conversa também. falamos principalmente sobre coisas idiotas — por que minicachorros-quentes são mais saborosos que cachorros quentes de tamanho normal, por que cachorros são melhores que gatos, por que o musical *cats* teve tanto sucesso nos anos 1980 quando sondheim superou lloyd webber (na verdade, nem minha mãe nem eu contribuímos muito pra esse tema). em determinado momento, tiny vê o postal de da vinci que mamãe tem na geladeira e pergunta a ela se já foi à itália. assim ela conta a ele da viagem que fez com três amigas de faculdade no terceiro ano, e parece uma história interessante, pela primeira vez. ele diz a ela que gosta de nápoles ainda mais que de roma porque as pessoas em nápoles são intensamente de onde são. ele conta que escreveu uma música sobre viagens em seu musical, mas acabou não incluindo a canção. e canta alguns versos para a gente:

Uma vez tendo ido a Nápoles,
é difícil fazer compras em Staples.
E uma vez tendo ido a Milão,
difícil fazer no Au Bon Pain a refeição.

Uma vez tendo ido a Veneza,
você busca os prazeres da mesa.
E foge da culinária enfadonha,
Quando experimenta rigatoni em Bolonha.

Ser um gay transatlântico
acaba não sendo tão romântico.
Porque quando você a Roma viaja,
é difícil voltar para casa.

pela primeira vez que me lembro, minha mãe parece estar se divertindo totalmente. ela até cantarola um pouco, acompanhando. quando tiny termina, os aplausos dela são genuínos. calculo que seja hora de pôr um fim na confraternização deles, antes que tiny e minha mãe fujam juntos para formar uma banda.

eu me ofereço pra lavar a louça, e mamãe age como se estivesse totalmente chocada com isso.

eu: eu lavo a louça o tempo todo.

ela olha séria para tiny.

mãe: é verdade, ele lava.

então cai na gargalhada.

não estou gostando muito disso, embora esteja ciente de que essa história poderia ter rolado de muitas maneiras piores.

tiny: quero ver o seu quarto!

não se trata de um pedido do tipo ei!-meu-zíper-está-comichando! quando tiny diz que quer ver o seu quarto, isso significa que ele quer ver... o seu quarto.

mãe: vão lá. eu cuido da louça.

tiny: obrigado, sra. grayson.

mãe: anne. me chame de anne.

tiny: obrigado, anne!

eu: é, obrigado, anne.

tiny bate em meu ombro. creio que sua intenção é fazer isso de leve, mas tenho a sensação de que alguém acabou de passar com um volkswagen em cima do meu braço.

eu o levo pro meu quarto, e até consigo fazer um tchan-tchantchan! ao abrir a porta. ele vai até o centro do quarto e observa tudo, sorrindo o tempo todo.

tiny: peixinhos dourados!

ele vai direto ao aquário. explico a ele que, se os peixinhos dourados um dia dominarem o mundo e decidirem realizar um julgamento por crimes de guerra, estou condenado, porque a taxa de mortalidade do meu pequeno aquário é muito, muito mais alta do que se eles vivessem no fosso de um restaurante chinês.

tiny: qual o nome deles?

oh, deus.

eu: sansão e dalila.

tiny: mesmo?

eu: ela é uma vadia.

ele se inclina pra olhar mais de perto a comida dos peixes.

tiny: você dá remédio tarja preta pra eles?
eu: ah, não. esses são meus.

é a única maneira de eu lembrar de alimentar os peixes e tomar meus remédios: deixá-los juntos. mas me ocorre que eu devia ter arrumado o quarto melhor. porque é claro que agora tiny está ficando vermelho e não vai perguntar mais nada, e embora eu não queira entrar em detalhes, também não quero que ele pense que estou em tratamento contra sarna nem nada no gênero.

eu: é pra depressão.
tiny: ah, eu também me sinto deprimido. às vezes.

estamos chegando perigosamente perto das conversas que tive com maura, quando ela dizia que sabia exatamente o que eu estava passando, e eu tinha de explicar que, não, ela não sabia, porque a tristeza dela nunca tinha sido tão profunda quanto a minha. não tinha a menor dúvida de que tiny *pensava* que ficava deprimido, mas isso provavelmente era porque ele não tinha nada com que comparar. no entanto, o que eu poderia dizer? que eu não só me *sentia* deprimido — era como se a depressão fosse meu núcleo, de cada pedaço meu, da mente aos ossos? que se às vezes o céu dele não parecia azul, o meu estava sempre negro? que eu odiava tanto aqueles comprimidos porque eu sabia o quanto dependia deles pra viver?

não, eu não podia dizer nada disso. porque, no fim das contas, ninguém quer ouvir isso. não importa o quanto a pessoa goste de você ou te ame, ninguém quer ouvir isso.

tiny: qual deles é sansão e qual é dalila?
eu: sinceramente? esqueci.

tiny examina minha estante de livros, corre a mão pelo meu teclado, gira o globo que ganhei quando terminei o quinto ano.

tiny: olhe! uma cama!

por um segundo, penso que ele vai pular em cima dela, o que certamente acabaria com o estrado. mas, com um sorriso quase tímido, ele se senta com cuidado na borda.

tiny: confortável!

como foi que acabei namorando esse donut polvilhado que é essa pessoa? com um suspiro não hostil, eu me sento perto dele. o colchão decididamente está afundando na direção dele.

mas, antes do inevitável passo seguinte, meu telefone vibra na mesa. decido ignorá-lo, mas ele toca de novo e tiny me diz pra checar.

abro o aparelho e leio o que diz a tela.

tiny: de quem é?

eu: é só gideon. ele quer saber como tudo está indo.

tiny: gideon, é?

há um tom inconfundível de suspeita na voz de tiny. fecho o aparelho e volto pra cama.

eu: você não está com ciúme de gideon, está?

tiny: ora, porque ele é bonito, jovem e gay, e encontra você todos os dias? que razão há pra eu ter ciúmes?

dou um beijo nele.

eu: você não tem motivo nenhum pra ter ciúme. somos só amigos.

uma coisa me ocorre então, e eu começo a rir.

tiny: o que foi?

eu: tem um garoto na minha cama!

trata-se de um pensamento tão gay e tão idiota. tenho vontade de gravar "EU ODEIO O MUNDO" no meu braço umas cem vezes pra me redimir.

a cama de fato não é grande o bastante pra nós dois. vou parar no chão duas vezes. continuamos com as roupas — mas é quase como se isso não tivesse importância. porque estamos nos beijando loucamente. ele é grande e forte, mas eu o igualo no empurra-e-puxa. não demora para que estejamos completamente desarrumados e com calor.

quando estamos exaustos, ficamos simplesmente ali, deitados. o batimento cardíaco dele é muito forte.

ouvimos minha mãe ligar a tv. os detetives começam a conversar. tiny corre a mão por baixo da minha camisa.

tiny: cadê seu pai?

estou totalmente despreparado para a pergunta. fico tenso.

eu: não sei.

o toque de tiny tenta me tranquilizar. sua voz tenta me acalmar.

tiny: está tudo bem.

mas não consigo lidar com isso. então me sento, arrancando-nos de nosso ritmo de respiração sonhador, fazendo-o afastar-se um pouco pra poder me ver claramente. o impulso em mim é alto e claro: não posso fazer isso. não por causa do meu pai — não me importo tanto assim com meu pai, de verdade —, mas por causa de todo esse processo de saber tudo.

brigo comigo mesmo.

pare.

fique aqui.

fale.

tiny está esperando. tiny está olhando pra mim. tiny está sendo gentil, porque ainda não sabe quem sou, o que sou.

nunca retribuirei a gentileza. o melhor que posso fazer é dar a ele razões pra desistir.

tiny: me diga. o que você quer falar?

não me pergunte, tenho vontade de adverti-lo. mas já estou falando.

eu: olha, tiny, estou tentando me comportar da melhor forma possível, mas você precisa entender, estou sempre à beira de alguma coisa ruim. e às vezes alguém como você pode me fazer olhar pro outro lado, de modo que eu não saiba o quanto estou perto de cair. mas eu sempre acabo virando a cabeça. sempre. sempre caminho pela borda desse precipício. e é uma merda o que enfrento todos os dias, e essa merda não vai desaparecer tão cedo. é muito legal ter você aqui, mas quer saber? quer mesmo que eu seja sincero?

ele devia ver isso como o aviso que é. mas não. ele faz que sim com a cabeça.

eu: parecem umas férias. não creio que você saiba como é isso. o que é bom — você não ia querer. você não tem a menor ideia do quanto odeio isso. odeio o fato de que estou arruinando a noite neste momento, arruinando tudo...
tiny: você não está.
eu: estou.
tiny: quem disse?
eu: eu digo.

tiny: eu não tenho voz?
eu: não. acabei de arruinar tudo. você não tem voz.

tiny toca minha orelha de leve.

tiny: sabe, você fica todo sexy quando está destrutivo.

os dedos dele descem pelo meu pescoço, sob a gola.

tiny: eu sei que não posso mudar seu pai, sua mãe ou seu passado. mas sabe o que posso fazer?

sua outra mão sobe pela minha perna.

eu: o quê?
tiny: outra coisa. é isso que posso lhe dar. *outra coisa.*

estou tão acostumado a fazer aflorar a dor nas pessoas. mas tiny se recusa a entrar nesse jogo. enquanto trocamos mensagens o dia todo, e mesmo aqui pessoalmente, ele está sempre tentando chegar ao coração das coisas. e isso significa que ele sempre supõe que haja um coração aonde chegar. acho isso ridículo e admirável ao mesmo tempo. quero a outra coisa que ele tem pra me dar, ainda que eu saiba que nunca vai ser algo que eu possa de fato pegar e tomar posse.

sei que não é tão fácil quanto tiny diz. mas ele está se esforçando tanto. então eu me rendo. eu me rendo à outra coisa.

mesmo que meu coração não acredite totalmente.

capítulo quinze

No dia seguinte, Tiny não está na aula de pré-cálculo. Deduzo que esteja debruçado em algum lugar, escrevendo canções em um caderno comicamente pequeno. Isso não me incomoda muito. Eu o vejo entre o segundo e o terceiro tempo de aula quando passo por seu armário; o cabelo parece sujo e os olhos arregalados.

— Overdose de Red Bull? — pergunto ao me aproximar dele.

Tiny responde em um rompante furioso.

— A peça estreia em nove dias, Will Grayson é uma graça, está tudo bem. Olha, Grayson, tenho de ir pro auditório. Até o almoço.

— O *outro* Will Grayson — digo.

— O quê, hein? — pergunta Tiny, fechando ruidosamente a porta do armário.

— O outro Will Grayson é uma graça.

— Isso, isso mesmo — responde ele.

Ele não está em nossa mesa de almoço, nem Gary, Nick ou Jane, nem ninguém, e eu não quero a mesa inteira pra mim, então levo a bandeja pro auditório, imaginando que vou encontrar todo mundo por lá. Tiny encontra-se de pé no meio do palco, um caderno numa das mãos e o celular na outra, gesticulando enlouquecido. Nick está sentado na primeira fileira. Tiny está falando com Gary no palco, e como a acústica é fantástica em nosso auditório, posso ouvir exatamente o que ele está dizendo, mesmo lá de trás.

— O que você precisa lembrar em relação a Phil Wrayson é que ele é totalmente apavorado. Em relação a tudo. Ele age como se não ligasse pra nada, porém está mais perto de desmoronar do que qualquer outro na peça inteirinha. Quero ouvir o tremor na voz dele quando cantar, a *carência* que ele espera que ninguém possa ouvir. Porque tem de ser isso que o torna tão irritante, sabe? As coisas que ele diz não são irritantes; é a *maneira* como ele as diz. Assim, quando Tiny está colando aqueles pôsteres sobre Orgulho, e Phil não para de falar sobre os estúpidos problemas com garotas que arranjou pra si mesmo, temos de *ouvir* o que é irritante. Mas você também não pode exagerar. É uma coisa bem sutil, cara. É a pedrinha no sapato.

Fico ali parado por um minuto, esperando que ele me veja, e então ele finalmente me vê.

— Ele é um PERSONAGEM, Grayson — grita. — É um PERSONAGEM DE FICÇÃO.

Ainda segurando a bandeja, dou meia-volta e saio. Me sento do lado de fora do auditório no piso de cerâmica do corredor, encosto na vitrine de um troféu e como um pouco.

Fico esperando por ele. Que ele venha e peça desculpas. Ou então que venha e grite comigo por ser tão fresco. Fico esperando que aquelas portas duplas de madeira escura se abram, e Tiny saia intempestivamente e comece a falar.

Sei que é imaturo da minha parte, mas não me importo. Às vezes, você precisa que seu melhor amigo atravesse as portas. Mas ele não vem. Por fim, sentindo-me pequeno e idiota,

sou eu quem se levanta e entreabre a porta. Tiny está cantan
do, feliz, sobre Oscar Wilde. Fico ali parado por um momento, ainda esperando que ele me veja, e nem percebo que estou
chorando até que esse som distorcido escapa de mim quando
inspiro. Fecho a porta. Se Tiny me vê, ele não faz sequer uma
pausa que acuse minha presença.

Atravesso o corredor, a cabeça tão baixa que a água sal-
gada pinga da ponta do meu nariz. Saio pela porta principal
— o ar frio, o sol cálido — e desço os degraus. Sigo pela calçada até chegar ao portão de segurança, então mergulho nas
moitas. Alguma coisa em minha garganta dá a impressão de
que vai me sufocar. Atravesso os arbustos exatamente como
Tiny e eu fizemos no primeiro ano, quando fugimos para ir
a Boys Town ver a Parada do Orgulho Gay, onde ele saiu do
armário pra mim.

Sigo até um campo da Liga Júnior que fica a meio caminho entre minha casa e a escola. Fica bem perto de outra escola, e, quando eu era pequeno, costumava ir lá muitas vezes
sozinho, depois das aulas por exemplo, só pra pensar. Às vezes, eu levava um bloco ou algo assim e tentava desenhar, mas
gostava principalmente de ir lá. Dou a volta pela cerca atrás
da última base, me sento no banco de reservas, minhas costas
apoiadas na parede de alumínio aquecida pelo sol, e choro.

Eis o que eu gosto no banco de reservas: estou ao lado da
terceira base, e posso ver o diamante de terra à minha frente
e as quatro fileiras de arquibancadas de madeira a um dos lados; e, do outro lado, o campo externo e o diamante seguinte
mais além; e então um grande parque e, mais adiante, a rua.
Posso ver as pessoas caminhando com seus cães e um casal

andando contra o vento. Mas com as costas contra a parede, com esse teto de alumínio sobre minha cabeça, ninguém pode me ver, a menos que eu possa vê-los.

A raridade da situação é o tipo de coisa que te faz chorar.

Tiny e eu de fato jogamos na Liga Júnior juntos — não neste campo, mas em um que ficava mais perto de nossas casas, a partir do terceiro ano fundamental. Foi assim que ficamos amigos, eu acho. Tiny era forte pra caramba, é claro, mas não muito bom com o taco. No entanto, ele liderava a liga quando se tratava de ser acertado por arremessos. Havia muito o que acertar.

Eu fazia uma respeitável primeira base e não liderava a liga em nada.

Apoiei os cotovelos nos joelhos como fazia quando estava assistindo a algum jogo de um banco como esse. Tiny sempre se sentava ao meu lado, e embora só jogasse porque o treinador tinha de colocar todo mundo pra jogar, ele era superentusiasmado. Ficava gritando: "Ei, rebatedor, rebatedor. Ei, rebatedor rebatedor, BALANCE, rebatedor", e então por fim ele mudava para: "Queremos um arremessador, não um banana!"

Depois veio o sexto ano: Tiny jogava na terceira base, e eu estava na primeira. Estávamos no começo do jogo, e estávamos ou ganhando de pouco ou perdendo de pouco — não me lembro. Sinceramente, eu nem olhava pro placar quando estava jogando. O beisebol, pra mim, era apenas uma daquelas coisas estranhas e terríveis que os pais fazem por razões que não se pode compreender, como vacinas contra gripe e a igreja. Então o rebatedor acertou a bola, que seguiu pra Tiny.

Tiny aparou e atirou a bola para a primeira com seu braço de canhão, e eu me estiquei para apanhá-la, tomando o cuidado de manter um pé na base. A bola acertou minha luva e imediatamente caiu, porque me esqueci de fechar a mão. O corredor estava em segurança, e o erro nos custou um *run* ou algo assim. Depois que o *inning* terminou, voltei pro banco de reservas. O treinador — acho que o nome era Sr. Frye — inclinou-se em minha direção. Tive consciência do tamanho de sua cabeça, o boné erguendo-se alto acima do rosto gordo, e ele disse: "CONCENTRE-SE em PEGAR a BOLA. PEGUE a BOLA, entendeu? Meu Deus!" Senti meu rosto quente, e, com aquele tremor na voz que Tiny indicou pra Gary, eu disse: "Sinto muito, treinador", e o Sr. Frye respondeu: "Eu também, Will. Eu também."

E então Tiny recuou e deu um soco no nariz do Sr. Frye. Simples assim. E dessa forma nossas carreiras na Liga Júnior chegaram ao fim.

Não doeria se ele não estivesse certo — se eu, lá no fundo, não soubesse que minha fraqueza o exaspera. E talvez ele pense como eu, que a gente não escolhe os amigos, e ele está preso a esse baitola irritante que não consegue lidar consigo mesmo, que não consegue segurar a bola na mão enluvada, que não consegue levar um esporro do treinador, que se arrepende de escrever cartas ao editor em defesa de seu melhor amigo. Essa é a verdadeira história da nossa amizade: Não sou eu quem está preso a Tiny. É ele quem está preso a mim.

Se não posso fazer mais nada, posso aliviá-lo desse peso.

Levo muito tempo pra parar de chorar. Uso a luva como lenço enquanto observo a sombra do telhado do banco de reservas deslizar pelas minhas pernas esticadas enquanto o sol sobe para o topo do céu. Por fim, sinto as orelhas congeladas à sombra do banco, então me levanto, atravesso o parque e sigo pra casa. No caminho, examino minha lista de contatos no celular por um tempo e então ligo pra Jane. Não sei por quê. Sinto que preciso ligar para alguém. Sinto, estranhamente, como se ainda quisesse que *alguém* abrisse as portas duplas do auditório. Cai na caixa postal.

"Desculpe, Tarzan, Jane não se encontra disponível. Deixe uma mensagem."

"Oi, Jane, é o Will. Só queria falar com você. Eu... sinceridade radical? Acabei de passar uns cinco minutos correndo a lista de todo mundo pra quem eu podia ligar e você foi a única pessoa pra quem eu quis ligar, porque eu gosto de você. Gosto muito. Acho que você é incrível. Você é simplesmente... *mais*. *Mais* inteligente e *mais* engraçada e *mais* bonita e simplesmente... *mais*. Sim. Isso é tudo. Tchau."

Quando chego em casa, telefono pro meu pai. Ele atende no último toque.

— Você pode ligar pra escola e dizer que estou doente? Precisei vir pra casa — digo.

— Você está bem, companheiro?

— Sim, estou bem — respondo, mas o tremor está na minha voz, e sinto como se fosse recomeçar com os soluços por alguma razão, e ele diz:

— Ok. Ok. Vou ligar.

Quinze minutos depois, estou afundado no sofá da sala, os pés na mesa de centro. Olho pra TV, só que ela não está ligada. Estou com o controle remoto na mão esquerda, mas não tenho energia nem pra pressionar o maldito botão de ligar.

Ouço a porta da garagem se abrir. Meu pai entra pela cozinha e se senta ao meu lado, bem perto.

— Quinhentos canais — diz ele após um momento —, e não está passando nada.

— Você tirou o dia de folga?

— Eu sempre posso conseguir alguém pra me cobrir — responde ele. — Sempre.

— Estou bem — digo.

— Sei que está. Eu só queria estar em casa com você, só isso.

Pisco, afugentando algumas lágrimas, mas meu pai tem a decência de não falar nada a respeito. Então ligo a TV e encontramos um programa chamado *Os Iates Mais Impressionantes do Mundo*, sobre iates que têm, tipo, campos de golfe ou o que seja, e toda vez que mostram algum recurso sofisticado, ele diz: "É IM-PRES-SIO-NAN-TE!" com sarcasmo, embora seja mesmo meio impressionante. É e não é, suponho.

E então meu pai tira o som da TV e diz:

— Sabe o Dr. Porter?

Faço que sim com a cabeça. É o cara que trabalha com a mamãe.

— Eles não têm filhos, por isso, são ricos.

Eu rio.

— Mas eles têm esse barco que mantêm em Belmont Harbor, um desses gigantes com armários de madeira de cerejeira importada da Indonésia e uma cama king-size giratória acolchoada com penas de águias ameaçadas de extinção e tudo mais. Sua mãe e eu fomos a um jantar no barco com os Porter há alguns anos, e no período de uma única refeição, naquelas duas horas, o barco passou de a experiência mais extraordinariamente luxuosa para um simples barco.

— Imagino que haja uma moral nessa história.

Ele ri.

— Você é o nosso iate, companheiro. Sabe todo aquele dinheiro que teria ido pra um iate, todo o tempo que nós teríamos passado viajando pelo mundo? Em vez disso, tivemos você. O iate acabou sendo um simples barco. Mas você... você não pode ser comprado a crédito, e não pode ser abatido do imposto de renda. — Ele vira o rosto na direção da TV e, após um momento, diz: — Tenho tanto orgulho de você que acabo tendo orgulho de mim. Espero que você saiba disso.

Faço que sim com a cabeça, a garganta apertada, olhando agora pra um comercial sem som de sabão em pó. Um segundo depois, ele murmura pra si mesmo:

— Crédito, pessoas, consumismo... Tem um trocadilho aí em algum lugar.

Eu pergunto:

— E se eu não quisesse ir praquele programa na Northwestern? Ou e se eu não for aceito?

— Bem, então eu deixaria de amar você — diz ele, mantendo a expressão séria por um segundo, então ri e liga o som da TV.

●●●

Mais tarde, resolvemos fazer uma surpresa pra minha mãe com chilli de peru pro jantar. Estou picando cebola quando a campainha toca. Imediatamente sei que é Tiny, e sinto esse estranho alívio irradiar do meu plexo solar.

— Eu atendo — digo. Passo espremido por meu pai na cozinha e vou correndo até a porta.

Não é Tiny, mas Jane. Ela me olha, os lábios apertados.

— Qual o segredo do meu armário?

— Vinte-cinco-dois-onze — digo.

Ela me bate de brincadeira no peito.

— *Eu sabia!* Por que você não me falou?

— Eu não conseguia chegar à conclusão de qual de várias verdades era a mais verdadeira — respondo.

— Temos de abrir a caixa — continua ela.

— Hã — digo. Dou um passo à frente pra poder fechar a porta atrás de mim, mas ela não recua, então agora estamos quase nos encostando. — O gato tem namorado — ressalto.

— Na verdade, eu não sou o gato. O gato somos nós. Eu sou uma física. Você é um físico. O gato somos nós.

— Hã, ok — retruco. — A física tem namorado.

— A física não tem namorado. A física deu o fora no namorado no jardim botânico porque ele não parava de falar que ia pras Olimpíadas de 2016, e havia essa vozinha na cabeça da física chamada Will Grayson, dizendo: "E nas Olimpíadas você vai representar os Estados Unidos ou o Reino da Babacolândia?" Então a física rompeu com o namorado e insiste que a caixa seja aberta, porque ela, tipo, não consegue parar de pensar no gato. A física não se importa se o gato estiver morto; ela só precisa saber.

Nos beijamos. As mãos dela estão geladas no meu rosto, ela tem gosto de café, o cheiro da cebola ainda está no meu nariz, e meus lábios estão ressecados por causa do interminável inverno. E é incrível.

— Sua opinião profissional como física? — pergunto.

Ela sorri.

— Acredito que o gato esteja vivo. E o que diz meu estimado colega?

— Vivo — respondo. E está mesmo. O que faz com que seja ainda mais estranho que, enquanto falo com ela, uma pequena ferida dentro de mim ainda esteja aberta. Pensei que seria Tiny na porta, cheio de pedidos de desculpas, as quais eu lentamente aceitaria. Mas assim é a vida. Nós crescemos. Planetas como Tiny ganham novas luas. Luas como eu ganham novos planetas. Jane se afasta de mim por um instante e diz:

— Alguma coisa cheira bem. Quero dizer, alguma coisa além de você.

Sorrio.

— Estamos fazendo chilli — conto. — Você quer... Você quer entrar e conhecer meu pai?

— Não quero ser introm...

— Não — retruco. — Ele é legal. Um pouco estranho. Mas legal. Você pode ficar pro jantar.

— Hã, ok. Deixa eu ligar pra casa. — Fico ali fora tremendo por uns instantes enquanto ela fala com a mãe:

— Vou jantar na casa de Will Grayson... Sim, o pai dele está aqui... Eles são médicos... Aham... Ok, te amo.

Entro em casa.

— Pai — digo —, esta é minha amiga Jane.

Ele surge da cozinha usando o avental que diz *Cirurgiões têm pegada firme* sobre a camisa e a gravata.

— Dou crédito às pessoas que não resistem ao consumismo! — diz ele, animado, tendo encontrado seu trocadilho. Eu rio.

Jane estende a mão, a própria imagem da elegância, dizendo:

— Olá, Dr. Grayson, sou Jane Turner.

— Srta. Turner, é um prazer.

— Tudo bem se Jane ficar pro jantar?

— Claro, claro. Jane, você nos dá licença um instante?

Papai me leva pra cozinha, onde se inclina e diz baixinho:

— Era essa a causa dos seus problemas?

— Curiosamente, não — respondo. — Mas nós estamos meio que sim.

— Vocês estão meio que sim — murmura ele pra si mesmo. — Vocês estão meio que sim. — E então, bem alto, diz:

— Jane?

— Sim, senhor?

— Qual é o seu coeficiente de rendimento?

— Hã, 9,25, senhor.

Ele olha pra mim, os lábios franzidos, e assente lentamente.

— Aceitável — diz, e então sorri.

— Pai, não preciso da sua aprovação — retruco baixinho.

— Eu sei — responde ele. — Mas pensei que você pudesse gostar assim mesmo.

capítulo dezesseis

quatro dias antes da apresentação da peça, tiny me liga e diz que precisa tirar um dia pra sua saúde mental. não é só porque o espetáculo está um caos. o outro will grayson não está falando com ele. isto é, está falando com ele, mas não diz nada. parte de tiny está puto por o.w.g. estar "fazendo essa merda tão perto da hora da estreia" e parte dele parece estar com muito, muito medo de que alguma coisa esteja muito, muito errada.

eu: o que eu posso fazer? sou o will grayson errado.

tiny: só preciso de uma dose de will grayson. estarei em sua escola daqui a uma hora. já estou na estrada.

eu: você o quê?

tiny: você só precisa me dizer onde fica sua escola. já coloquei no google maps, mas aqueles itinerários são uma merda. e a última coisa que meu dia de saúde mental precisa é que eu vá parar no iowa às 10h por causa do google maps.

penso que a ideia de um "dia de saúde mental" é algo completamente inventado pelas pessoas que não têm a menor ideia do que é não ter saúde mental. a ideia de que sua mente pode ser arejada em 24 horas é meio como dizer que uma doença cardíaca pode ser curada se você comer o cereal matinal correto. dias de saúde mental só existem para as pessoas que podem se dar ao luxo de dizer "não quero ter de enfrentar nada hoje" e então podem tirar o dia todo de folga enquanto o restante de nós se vê forçado a travar as batalhas que sempre travamos, sem que ninguém se importe com isso, a menos que a gente decida trazer uma arma pra escola ou arruinar os comerciais da manhã com um suicídio.

não digo nada disso a tiny. finjo que quero que ele venha aqui. não o deixo saber o quanto me apavora deixá-lo ver mais da minha vida. me parece que ele confundiu seus will graysons. não tenho certeza de ser o que pode ajudá-lo.

ficou tão intenso — mais do que com isaac. e não só porque tiny é real. não sei o que me apavora mais — que ele se importe comigo ou que eu me importe com ele.

conto a gideon imediatamente sobre a vinda de tiny, principalmente porque ele é a única pessoa na escola com quem falei de fato sobre tiny.

gideon: uau, que fofo que ele queira ver você.

eu: eu não tinha nem pensado nisso.

gideon: a maior parte dos caras é capaz de dirigir mais de uma hora por sexo. mas poucos fazem isso só pra ver você.

eu: como você sabe disso?

é meio estranho que gideon tenha se tornado meu conselheiro para assuntos gays, posto que ele me contou que o máximo de experiência que já teve foi no acampamento de escoteiros no verão antes do nono ano. mas acho que ele já visitou um número suficiente de blogs, salas de bate-papo e coisas assim. ah, e ele assiste ao hbo-on-demand o tempo todo.

vivo dizendo a ele que não sei se as leis de *sex and the city* se aplicam quando não há nenhum sexo e nenhuma cidade, mas então ele me olha como se eu estivesse atirando dardos pontiagudos nos balões em formato de coração que flutuam em sua mente, então deixo pra lá.

o engraçado é que a maior parte da escola — bem, a parte que se importa, que não é assim tão grande — pensa que gideon e eu formamos um casal. porque, sabe, eles veem o eu-gay andando pelos corredores com o ele-gay e imediatamente tiram suas conclusões.

vou dizer uma coisa, porém — eu meio que não me importo. porque gideon é muito gato, e muito legal, e as pessoas que não o desprezam parecem gostar muito dele. assim, se vou ter um namorado hipotético nessa escola, poderia ser muito pior.

no entanto, é estranho pensar em gideon e tiny finalmente se conhecendo. é estranho pensar em tiny andando pelos corredores comigo. é como convidar o godzilla pro baile de formatura.

não consigo visualizar... mas então recebo uma mensagem de texto dizendo que ele está a dois minutos daqui e preciso encarar os fatos.

eu basicamente saio do laboratório no meio da aula de física do sr. jones — ele nunca nota minha presença mesmo, portanto, contanto que minha parceira de laboratório, lizzie, me dê cobertura, está tudo bem. digo a verdade a lizzie — que meu namorado está entrando furtivamente na escola pra me encontrar — e ela se torna minha cúmplice, porque mesmo que ela normalmente não fosse fazer isso por mim, definitivamente faria por AMOR. (bem, AMOR e direitos dos gays — três vivas pras garotas héteros que fazem o máximo para ajudar garotos gays.)

a única pessoa que me dá tristeza é maura, que bufa uma nuvem negra enquanto explico minha história a lizzie. ela vem tentando arruinar meu tratamento de silêncio me espionando sempre que pode. não sei se a nuvem negra é porque ela acha que estou inventando tudo ou porque está revoltada que eu esteja desprezando a aula de física no laboratório. ou talvez ela apenas esteja com ciúme de lizzie, o que é engraçado, porque lizzie tem um problema de acne tão grave que parecem picadas de abelha. mas que seja. maura pode bufar até que todo o muco de seu cérebro escorra da cabeça e forme uma poça aos seus pés. eu não vou responder.

encontro tiny com facilidade diante da escola; ele fica mudando o peso do corpo de um pé pro outro. não vou começar a beijá-lo em território escolar, então lhe dou um abraço masculino (dois pontos de contato! dois apenas!) e digo a ele que se alguém perguntar, ele deve dizer que vai mudar pra cidade no outono e está visitando a escola com antecedência.

ele parece um pouco diferente desde a última vez que o vi — cansado, acho. fora isso, porém, sua saúde mental parece perfeita.

tiny: então é aqui que a magia acontece?

eu: só se você considerar a cega escravidão aos testes padronizados e aos formulários de inscrição de faculdades como uma forma de magia.

tiny: vamos ver.

eu: como está a peça?

tiny: o que falta ao coro em voz, ele compensa em energia.

eu: mal posso esperar pra ver.

tiny: mal posso esperar pra que você veja.

o sinal pro almoço toca quando estamos a meio caminho da cantina. de repente, tem gente em toda a nossa volta, e notam a presença de tiny da mesma maneira que notariam alguém que resolvesse ir de sala em sala a cavalo. no outro dia eu estava rindo com gideon, dizendo que a razão de a escola fazer todos os nossos armários cinza era pra que gente como eu pudesse se misturar e passar pelos corredores com segurança. mas com tiny essa não é uma opção. as cabeças se viram.

eu: você sempre chama tanta atenção assim?

tiny: nem tanto. acho que as pessoas percebem mais meu tamanho extraordinário aqui. você se importa se eu segurar sua mão?

a verdade é que me importo. mas sei que, como ele é meu namorado, a resposta deveria ser que não me importo nem um pouco. ele provavelmente me carregaria pra aula no colo se eu lhe pedisse com carinho.

pego a mão dele, grande e escorregadia. mas acho que não consigo esconder a preocupação no meu rosto, porque ele me olha uma vez e solta minha mão.

tiny: deixa pra lá.

eu: não é com você. eu só não sou do tipo de cara que anda de mãos dadas pelos corredores. nem mesmo se você fosse uma garota. nem se fosse uma líder de torcida peituda.

tiny: mas eu *fui* uma líder de torcida peituda.

eu paro e olho pra ele.

eu: você está brincando.

tiny: foi só por uns dias. eu arruinei totalmente a pirâmide.

andamos um pouco mais.

tiny: suponho que pôr minha mão no seu bolso traseiro esteja fora de questão...

eu: *tosse*

tiny: foi só uma piada.

eu: posso pelo menos pagar seu almoço? talvez tenha até ensopado!

tenho de ficar me lembrando que era isso o que eu queria — isso é o que se supõe que todo mundo queira. aqui está um garoto que é carinhoso comigo. um garoto que pega o carro e vem me ver. um garoto que não tem medo do que os outros vão pensar quando nos virem juntos. um garoto que acredita que eu possa melhorar sua saúde mental.

uma das mulheres que servem o almoço até ri quando tiny fica todo animado por causa das empanadas que estão servindo em celebração à semana da herança latina (ou talvez seja o mês da herança latina). ela o chama de querido quando a entrega a ele, o que é muito engraçado, pois venho tentando durante os últimos três anos conquistá-la o suficiente pra não mais ganhar a menor fatia de pizza do tabuleiro.

quando chegamos à mesa, derek e simon já estão lá — gideon é o único que falta. como não os avisei sobre nosso convidado especial, eles parecem surpresos e petrificados quando nos aproximamos.

eu: derek e simon, este é tiny. tiny, estes são derek e simon.
tiny: prazer em conhecê-los!
simon: humm...
derek: muito prazer também. quem é você?
tiny: sou o namorado de will. da evanston.

ok, agora todos olham pra ele como se ele fosse uma besta mágica do *world of warcraft*. derek está com um ar divertido, de uma forma amigável. simon olha pra tiny, depois pra mim, depois pra tiny, de uma forma que só pode significar que está se perguntando como alguém tão grande e alguém tão franzino podem fazer sexo.

sinto uma mão em meu ombro.

gideon: aí estão vocês!

gideon parece ser a única pessoa na escola que não se mostra chocado com a aparência de tiny. sem hesitar, estende a outra mão pro cumprimento.

gideon: você deve ser tiny.

tiny olha pra mão que gideon mantém em meu ombro antes de apertar a que ele oferece. não parece muito feliz ao dizer

tiny: ... e você deve ser gideon.

seu aperto de mão deve ser um pouco mais firme que o de hábito, pois gideon estremece antes que o aperto chegue ao fim. então vai buscar uma cadeira extra para a mesa, oferecendo a tiny o lugar em que normalmente se senta.

tiny: ah, isso não é acolhedor?

bem, não. o cheiro da empanada de carne dele me faz sentir como se estivesse preso em um quarto pequeno e quente, cheio de comida de cachorro. simon, receio, encontra-se em vias de dizer alguma coisa errada, e derek parece pensar em como vai escrever sobre tudo isso em um blog. gideon começa a fazer perguntas amistosas a tiny, e as respostas de tiny são todas monossilábicas.

gideon: como estava o trânsito até aqui?
tiny: bom.
gideon: aqui é muito parecido com a sua escola?
tiny: nah.
gideon: soube que você está produzindo um musical.
tiny: sim.

por fim, gideon se levanta pra comprar um cookie, o que me permite me inclinar pra tiny e perguntar

eu: por que você está tratando ele como alguém que te deu um fora?
tiny: não estou!
eu: você nem o conhece.
tiny: conheço o tipo dele.
eu: que tipo?
tiny: o tipo pequeno e bonito. eles são *encrenca*.

acho que ele sabe que foi um pouco longe demais, porque imediatamente acrescenta

tiny: mas ele parece muito legal.

então corre os olhos pela cantina.

tiny: quem é maura?
eu: duas mesas à esquerda da porta. sentada sozinha, pobre cordeiro abatido. rabiscando no caderno.

como se pressentisse nosso olhar, ela ergue os olhos em nossa direção, então abaixa a cabeça e volta a rabiscar mais furiosamente.

derek: que tal a empanada de carne? em todos os meus anos aqui, você é a primeira pessoa que já vi terminar uma dessas.

265

tiny: não estava mal se você não liga pro fato de estar salgado. é como se alguém tivesse feito uma tortinha de carneseca.

simon: e há quanto tempo vocês dois estão, assim, juntos?

tiny: não sei... quatro semanas, dois dias e 18 horas, eu acho.

simon: então você é o cara.

tiny: que cara?

simon: o cara que quase nos fez perder as olimpíadas de matemática.

tiny: se isso é verdade, então eu sinto muito mesmo.

simon: bem, você sabe o que dizem.

derek: simon?

simon: os gays sempre põem o pau na frente da matemática.

eu: em toda a história do mundo, ninguém jamais disse isso.

derek: você só está emburrado porque a garota de naperville...

simon: nem pense!

derek: ... não quis sentar no seu colo quando você pediu.

simon: o ônibus estava cheio!

gideon volta com cookies pra todos nós.

gideon: é uma ocasião especial. o que eu perdi?

eu: paus na frente da matemática.

gideon: isso não faz o menor sentido.

eu: exatamente.

tiny está começando a parecer inquieto e não está nem tocando no cookie. é um cookie macio. com gotas de chocolate. devia estar em seu sistema digestivo a essa altura.

se tiny está perdendo o apetite, não tem a menor possibilidade de chegarmos ao fim do dia na escola. afinal, se eu não tenho a menor vontade de ir pra aula... por que tiny teria? se ele quer ficar comigo, eu devo ficar com ele. e essa escola nunca vai permitir isso.

eu: vamos embora.

tiny: mas acabei de chegar.

eu: você já conheceu as únicas pessoas com quem interajo. já provou nossa excelente cozinha. se quiser, posso te mostrar a vitrine de troféus na saída para você se deleitar com as conquistas de alunos que agora já têm idade pra sofrer de disfunção erétil, perda de memória e morte. eu nunca, jamais, vou ser capaz de demonstrar afeto por você aqui, mas se ficar sozinho comigo, vai ser bem diferente.

tiny: paus na frente da matemática.

eu: sim. paus na frente da matemática. embora eu já tenha tido aula de matemática hoje. vou matar aula retroativamente pra ficar com você.

derek: vão! vão!

tiny parece bem satisfeito com essa mudança de planos.

tiny: vou ter você todo pra mim?

está no limite do constrangedor admitir isso na frente de outras pessoas, então eu apenas faço que sim com a cabeça.

pegamos nossas bandejas e nos despedimos. gideon parece um pouco desapontado, mas soa sincero quando diz a tiny que espera que tenhamos a chance de sair todos juntos mais tarde. tiny diz que também espera, mas não é como se esperasse mesmo.

quando estamos prestes a sair da cantina, tiny diz que precisa dar mais uma parada.

tiny: tem uma coisa que preciso fazer.
eu: o banheiro fica no corredor, à esquerda.

mas não é esse o seu destino.
ele está **seguindo** direto pra mesa de maura.

eu: o que você está fazendo? nós não falamos com ela.
tiny: vocês podem não falar — mas **tem uma** ou duas coisinhas que eu gostaria de dizer.

ela agora está olhando pra gente.

eu: pare.
tiny: fique de fora, grayson. sei o que **estou** fazendo.

com gestos muitíssimo elaborados, ela **põe** de lado a caneta e fecha o caderno.

eu: não, tiny.

mas ele avança e paira acima dela. a montanha **veio** até maura, e tem algo para dizer.

268

um lampejo de nervosismo passa pelo rosto de tiny antes · de começar. ele respira fundo. ela olha para ele com uma estudada expressão vazia.

tiny: só queria vir até aqui e te agradecer. eu sou tiny cooper, e estou namorando will grayson há quatro semanas, dois dias e 18 horas agora. se você não tivesse sido uma inimiga tão má, egoísta, enganadora e vingativa, nós nunca teríamos nos conhecido. isso só serve para mostrar que, se você tenta arruinar a vida de alguém, ela só fica melhor. você só acaba não fazendo mais parte dela.

eu: tiny, chega.

tiny: acho que ela precisa saber o que está perdendo, will. acho que ela precisa saber a felicidade...

eu: CHEGA!

muita gente ouve isso. tiny certamente sim, porque ele para. e maura também, porque ela deixa de olhar sem expressão pra ele e começa a olhar sem expressão pra mim, que estou muito furioso com ambos neste momento. pego tiny pela mão, mas desta vez é pra puxá-lo dali. maura sorri com deboche, em seguida abre o caderno e recomeça a escrever. sigo pra porta, então solto a mão de tiny, volto pra mesa de maura, pego o caderno e arranco a folha em que ela está escrevendo. nem mesmo leio o que está escrito. só a arranco e amasso e então jogo o caderno de volta na mesa, derrubando a coca diet dela. não digo uma só palavra. simplesmente vou embora.

estou com tanta raiva que não consigo falar. tiny está atrás de mim, dizendo tiny: o que foi? o que eu fiz?

espero até estarmos fora do prédio. espero até chegarmos ao estacionamento. espero até ele me levar ao carro dele. espero até estarmos dentro do carro. espero até sentir que posso abrir a boca sem gritar. e então digo:

eu: você não devia ter feito aquilo.

tiny: por quê?

eu: POR QUÊ? porque não estou falando com ela. porque consegui evitá-la por um mês, e agora você simplesmente me arrastou até ela e a fez pensar que ela é importante na minha vida.

tiny: ela precisava aprender uma lição.

eu: que lição? que se ela tentar arruinar a vida de alguém, *ela só fica melhor*? é uma ótima lição, tiny. agora ela pode tentar arruinar a vida de mais pessoas, porque pelo menos vai ter a satisfação de saber que está lhes fazendo um favor. talvez ela possa até começar um serviço de encontros. evidentemente, funcionou para nós.

tiny: pare com isso.

eu: parar com o quê?

tiny: pare de falar comigo como se eu fosse um idiota. não sou idiota.

eu: sei que você não é idiota. mas, sem a menor dúvida, você fez uma coisa idiota.

ele ainda nem ligou o carro. ainda estamos sentados no estacionamento.

tiny: não foi assim que planejei o dia.

eu: bem, sabe de uma coisa? muitas vezes não se tem controle de como vai ser o seu dia.

tiny: pare. por favor. quero que este seja um dia bom.

ele dá a partida no carro. é minha vez de respirar fundo. quem quer ser a pessoa a dizer a uma criança que papai noel não existe? é a verdade, não é? mas ainda assim você é um babaca se disser.

tiny: vamos a algum lugar que você goste de ir. aonde podemos ir? me leve a algum lugar que seja importante para você.

eu: como o quê?

tiny: como... não sei. eu, se preciso me sentir melhor, vou sozinho pro super target. não sei por quê, mas ver aquelas coisas todas me deixa feliz. provavelmente é o design. eu nem preciso comprar nada. só de ver todas as pessoas juntas, ver todas as coisas que eu poderia comprar — todas as cores, corredor após corredor... às vezes, preciso disso. no caso de jane, é essa loja indie de discos à qual vamos pra que ela possa olhar vinis antigos enquanto olho todos os cds de boy bands na banca de dois dólares e tento decidir qual deles acho o mais bonito. ou pro outro will grayson — tem um parque na nossa cidade, onde todos os times da liga júnior jogam. e ele adora o banco de reservas, porque, quando não tem mais ninguém por perto, é muito silencioso lá. quando não tem jogo, você pode sentar lá, e então só as coisas que aconteceram no passado existem. acho que todo mundo tem um lugar assim. você deve ter um lugar assim.

penso intensamente no assunto por um segundo, mas concluo que, se tivesse um lugar assim, eu saberia na hora. mas nenhum lugar tem importância de verdade pra mim. nunca nem mesmo me ocorreu que eu devia ter um lugar que fosse importante pra mim.

respondo que não com a cabeça.

eu: nada.

tiny: vamos, anda. tem de haver algum lugar.

eu: não tem, está bem? só minha casa. meu quarto. é isso.

tiny: ok — então onde fica o balanço mais próximo?

eu: você está brincando, não é?

tiny: não. tem que haver um balanço por aqui.

eu: na escola primária, acho. mas as aulas ainda não acabaram. se nos pegarem lá, vão pensar que somos sequestradores. vai ficar tudo bem comigo, mas aposto que você seria julgado como adulto.

tiny: ok, fora a escola primária.

eu: acho que meus vizinhos têm um.

tiny: os pais trabalham?

eu: acho que sim.

tiny: e os filhos ainda estão na escola. perfeito! você me guia.

foi assim que terminamos estacionando na frente da minha casa e invadindo o quintal dos vizinhos do lado. o balanço é bastante triste, tanto quanto os balanços podem ser, mas, pelo menos, é feito para crianças mais velhas.

eu: você não vai sentar aí, vai?

mas ele senta, e juro que a estrutura de metal se curva um pouco. ele aponta o balanço perto do dele.

tiny: junte-se a mim.

faz provavelmente uns dez anos que não me sento em um balanço. só faço isso agora pra calar tiny por um segundo. nenhum dos dois balança de fato — não creio que a estrutura pudesse resistir a isso. ficamos simplesmente ali sentados, pendendo acima do chão. tiny se vira, ficando de frente pra mim. eu também me viro, pondo os pés no chão para evitar que a corrente me desvire.

tiny: agora, assim não está melhor?

e eu não me contenho. digo

eu: melhor que o quê?

tiny ri e sacode a cabeça.

eu: o que foi? por que está balançando a cabeça?
tiny: não é nada.
eu: me fale.
tiny: é só engraçado.
eu: O QUE é engraçado?
tiny: você. e eu.

eu: que bom que você acha isso engraçado.

tiny: queria que você achasse mais engraçado.

eu nem sei mais sobre o que estamos falando.

tiny: sabe uma ótima metáfora pro amor?

eu: tenho a sensação de que você está prestes a me falar.

ele se vira e faz uma tentativa de balançar mais alto. o balanço geme tanto que ele para e se vira novamente pra mim.

tiny: a bela adormecida.

eu: a bela adormecida?

tiny: sim, porque você precisa abrir caminho através desse incrível matagal cheio de espinhos a fim de chegar até a bela, e mesmo assim, quando chega lá, ainda tem de acordá-la.

eu: então eu sou um matagal?

tiny: e a bela que ainda não está totalmente desperta.

não ressalto que tiny também não é exatamente o que as garotinhas pensam quando ouvem as palavras *príncipe encantado*.

eu: é natural que você pense dessa forma.

tiny: por quê?

eu: bem, a sua vida é um musical. literalmente.

tiny: você está me vendo cantar agora?

quase. eu adoraria viver em seu mundo de desenho animado musical, onde bruxas como maura são derrotadas com uma palavra heroica, e todas as criaturas da floresta ficam felizes quando dois caras gays caminham de mãos dadas pela campina, e gideon é o pretendente bonito e burro com quem você sabe que a princesa não pode se casar, porque o coração dela pertence à fera. tenho certeza de que se trata de um mundo adorável, onde essas coisas acontecem. um mundo rico, mimado, colorido. talvez um dia eu faça uma visita, mas duvido. mundos assim não tendem a emitir vistos para caras fodidos como eu.

eu: me intriga que alguém como você possa percorrer toda essa distância pra ficar com alguém como eu.

tiny: isso de novo, não!

eu: como?

tiny: estamos sempre tendo essa conversa. mas, se você continuar se concentrando no porquê de tudo ser tão difícil pra você, nunca vai perceber como poderia ter sido fácil.

eu: fácil pra você falar!

tiny: o que você quer dizer com isso?

eu: exatamente isso. vou decompor pra você. *fácil* — sem absolutamente nenhuma dificuldade. *pra você* — o oposto de "pra mim". *falar* — vocalizar, às vezes, *ad nauseam*. você tem tudo tão fácil que não percebe que, quando é difícil, não é uma escolha que está fazendo.

tiny: eu sei disso. não estava dizendo...

eu: sim?

tiny: eu entendo.

eu: você NÃO entende. porque é tudo fácil pra você.

agora eu o irritei. ele desce do balanço e para bem na minha frente. tem uma veia em seu pescoço que chega a pulsar. ele não consegue parecer furioso sem também parecer triste.

tiny: PARE DE ME DIZER QUE É TUDO MUITO FÁCIL PRA MIM! você tem alguma ideia do que está falando? porque eu sou uma pessoa também. e também tenho problemas. e embora eles possam não ser os seus problemas, ainda assim são problemas.

eu: como o quê?

tiny: você pode não ter notado, mas eu não sou o que se chamaria convencionalmente de bonito. na verdade, pode-se até falar que sou o oposto disso. *falar*, sabe... vocalizar, às vezes, *ad nauseam*? você acha que se passa um só minuto, de qualquer dia, em que eu não tenha consciência do meu tamanho? acha que um só minuto se passa sem que eu esteja pensando em como as outras pessoas me veem? embora eu não tenha nenhum controle sobre isso? não me entenda mal, eu amo meu corpo. mas não sou tão idiota assim pra achar que todo mundo ama. o que realmente me aborrece, o que me chateia *de verdade*, é que ele é tudo que as pessoas veem. desde quando eu era uma criança não-tão-pequena. *ei, tiny, quer jogar futebol? ei, tiny, quantos hambúrgueres você comeu hoje? ei, tiny, já perdeu o pinto aí embaixo? ei, tiny, você vai entrar pro time de basquete quer queira quer não. só não tente olhar pra gente no vestiário!* isso parece fácil pra você?

estou prestes a dizer alguma coisa, mas ele ergue a mão.

tiny: sabe de uma coisa? estou totalmente em paz com o fato de ser grande. e eu já era gay muito antes de saber o que era sexo. é assim que eu sou, e isso é ótimo. não quero ser magro nem convencionalmente bonito nem heterossexual nem brilhante. não, o que eu quero de verdade, e jamais consigo, é ser *apreciado*. você sabe o que é se esforçar ao máximo pra se certificar de que todos estejam felizes e não ter uma só pessoa que reconheça isso? posso me matar pra juntar o outro will grayson e jane... nenhum reconhecimento, só mágoa. escrevo um musical inteiro que fala basicamente de amor, e o principal personagem nele, depois de mim, é claro, é phil wrayson, que precisa entender algumas coisas, mas no geral é um cara maravilhoso. e will compreende isso? não. ele surta. faço tudo que posso pra ser um bom namorado pra você... nenhum reconhecimento, só mágoa. tento fazer esse musical pra que ele possa criar alguma coisa, pra mostrar que todos nós temos alguma coisa pra cantar... nenhum reconhecimento, só mágoa. esse musical é um presente, will. meu presente pro mundo. ele não é sobre mim. é sobre o que tenho pra compartilhar. tem uma diferença; eu vejo, mas receio que seja o único. você acha que é fácil pra mim, will? está mesmo morrendo de vontade de experimentar esses tamanhos GG? porque toda manhã quando acordo, tenho de me convencer que, sim, no fim do dia, serei capaz de fazer algo de bom. isso é tudo que peço: ser capaz de fazer algo de bom. não por mim, seu bebê chorão estúpido, de quem, por acaso, eu gosto muito, muito. mas pelos meus amigos. por outras pessoas.

eu: mas por que eu? quero dizer, o que você vê em mim?

tiny: você tem um coração, will. você até deixa ele aparecer de vez em quando. eu vejo isso em você. e vejo que precisa de mim.

balanço a cabeça.

eu: você não entende? eu não preciso de ninguém.

tiny: isso só significa que precisa ainda mais de mim.

está tão claro pra mim.

eu: você não está apaixonado por mim. está apaixonado pela minha carência.

tiny: quem disse que estou apaixonado por alguma coisa? eu disse "gosto muito, muito".

ele para. faz uma pausa.

tiny: isso sempre acontece. uma variação disso sempre acontece.

eu: eu sinto muito.

tiny: eles também sempre dizem "eu sinto muito".

eu: não posso fazer isso, tiny.

tiny: você pode, mas não vai. simplesmente não vai.

é como se eu não tivesse que terminar com ele, porque ele já teve essa conversa na própria cabeça. eu devia me sentir aliviado por não precisar dizer nada. mas, em vez disso, só me sinto pior.

eu: não é culpa sua. eu simplesmente não consigo sentir nada.

tiny: mesmo? você não está sentindo nada neste momento? absolutamente nada?

quero dizer a ele: ninguém nunca me disse como lidar com coisas assim. abrir mão não devia ser indolor se você nunca aprendeu a segurar?

tiny: vou embora agora.

e eu vou ficar. vou ficar neste balanço enquanto ele se afasta. vou ficar em silêncio enquanto ele entra no carro. vou ficar imóvel enquanto ouço o carro dar a partida, depois se afastar. vou continuar errado, porque não sei como atravessar o matagal da minha própria cabeça a fim de alcançar o que quer que eu deva fazer. vou continuar o mesmo, e o mesmo, e o mesmo, até morrer disso.

minutos se passam antes que eu possa admitir que, sim, embora diga a mim mesmo que não estou sentindo nada, isso é mentira. quero dizer que estou sentindo remorso ou arrependimento ou até mesmo culpa. mas nenhuma dessas palavras parece suficiente. o que estou sentindo é vergonha. vergonha pura, repugnante. não quero ser a pessoa que sou. não quero ser a pessoa que acabou de fazer o que fiz.

o problema não é nem mesmo tiny.

eu sou horrível.

sou insensível.

tenho medo de que essas coisas sejam mesmo verdade.

volto correndo pra casa. estou começando a soluçar —
não estou nem mesmo pensando, mas meu corpo está se despedaçando. minha mão está tão trêmula que deixo o chaveiro
cair antes de finalmente conseguir enfiar a chave na porta. a
casa está vazia. eu estou vazio. tento comer. tento ir pra cama.
nada funciona. eu sinto as coisas, sim. sinto tudo. e preciso
saber que não estou sozinho. assim, pego o telefone. sem nem
mesmo pensar. digito o número e ouço o toque e assim que
atendem, grito no aparelho:

eu: EU TE AMO. ESTÁ ME OUVINDO? EU TE AMO!

estou gritando, e meu grito parece tão furioso e tão assustado e tão patético e tão desesperado. do outro lado da linha,
minha mãe me pergunta o que há de errado, onde estou, o
que está acontecendo, e eu digo a ela que estou em casa e que
tudo está confuso, e ela diz que em dez minutos estará em
casa, eu vou ficar bem por dez minutos?, e quero dizer a ela
que vou ficar bem, porque é isso que ela quer ouvir, mas então
me dou conta de que talvez o que ela queira ouvir seja a verdade, então digo a ela que sinto as coisas, sinto de verdade, e ela
me diz que é claro que sinto, sempre tive esses sentimentos,
e é isso que faz com que às vezes a vida seja difícil pra mim.

só ouvir a voz dela já me faz sentir um pouco melhor, e
percebo que, sim, aprecio o que ela está dizendo, aprecio o
que ela está fazendo, e preciso que ela saiba disso. embora eu
não diga imediatamente, pois acho que isso só vai deixá-la
mais preocupada, mas quando ela chega em casa digo a ela, e
ela diz que sabe disso.

conto a ela um pouco sobre tiny, e ela diz que parece que estávamos pondo pressão demais um no outro e que não precisa ser amor imediatamente, ou nem mesmo no fim. quero perguntar o que foi com meu pai e quando foi que tudo se transformou em ódio e tristeza. mas talvez eu não queira de fato saber. não agora.

mãe: a carência nunca é uma boa base para um relacionamento. tem de ser muito mais que isso.

é bom conversar com ela, mas ao mesmo tempo é estranho, porque ela é minha mãe, e não quero ser um daqueles garotos que acha que a mãe é sua melhor amiga. quando me recupero o suficiente, as aulas já terminaram faz tempo, e concluo que posso ficar on-line e ver se gideon também está. então percebo que, em vez disso, posso mandar uma mensagem de texto pra ele. aí percebo que, na verdade, posso ligar pra ele. por fim, percebo que, na verdade, posso ligar pra ele e ver se ele quer fazer alguma coisa. porque ele é meu amigo, e é isso que os amigos fazem.

eu ligo, ele atende. preciso dele, ele responde. vou até a casa dele e conto o que aconteceu, e ele responde. não é como com maura, que sempre queria tomar o caminho das trevas. não é como foi com tiny, porque com ele eu estava com todas essas expectativas de ser um bom namorado, o que quer que isso signifique. não, gideon está pronto pra acreditar tanto no melhor quanto no pior de mim. em outras palavras: pra acreditar na verdade.

quando nossa conversa chega ao fim, ele me pergunta se vou telefonar pra tiny. digo a ele que não sei.

só mais tarde decido. estou on-line e vejo que ele também está.

não creio que eu possa nos salvar como namorados, mas pelo menos quero dizer a ele que, mesmo que ele estivesse errado em relação a mim, não estava errado em relação a si mesmo. quer dizer, alguém devia estar tentando fazer o bem no mundo.

então eu tento.

20h15
willupleasebequiet: bluejeansbaby?
willupleasebequiet: tiny?

20h18
willupleasebequiet: você está aí?

21h33
willupleasebequiet: você está aí?

22h10
willupleasebequiet: por favor?

23h45
willupleasebequiet: você está aí?

1h03
willupleasebequiet: você está aí?
willupleasebequiet: você está aí?
willupleasebequiet: você está aí?
willupleasebequiet: você está aí?
willupleasebequiet: você está aí?

capítulo dezessete

Três dias antes da peça, Tiny e eu estamos conversando novamente enquanto esperamos o início da aula de pré-cálculo, mas não há nada dentro de nossas palavras. Ele se senta ao meu lado e diz: "Oi, Grayson", e eu digo: "Oi", e ele diz: "O que conta de novo?", e eu digo: "Não muito. E você?", e ele diz: "Não muito. A peça está acabando comigo, cara", e eu digo: "Posso apostar que sim", e ele diz: "Você tá namorando Jane, hein?" e eu digo: "Meio que sim", e ele diz: "Isso é incrível", e eu digo: "É. Como vai o outro Will Grayson?", e ele diz: "Bem", e isso é tudo. Sinceramente, falar com ele é pior que não falar. Falar com ele me dá a sensação de que estou me afogando em água morna.

Jane está parada diante do meu armário com as mãos atrás das costas quando chego lá depois do primeiro tempo, e ao me aproximar dela, acontece esse estranho, mas não necessariamente desagradável momento devemos-nos-beijar, ou pelo menos eu penso que é isso que o momento é, mas então ela diz:

— Uma merda essa história do Tiny, hein?

— O quê? — pergunto.

— Ele e o outro Will Grayson. Já era.

Inclino a cabeça pra ela, confuso.

— Não, ele acabou de dizer que estão bem. Perguntei a ele na aula de pré-cálculo.

— Foi ontem, pelo menos segundo Gary e Nick e as 23 outras pessoas que me contaram isso. Num balanço, ao que parece. Ah, a ressonância metafórica.

— Então por que ele não me contou? — Ouço minha voz travada quando pergunto.

Jane pega minha mão e se estica pra dizer em meu ouvido: — Oi.

Então olho pra ela, tentando agir como se isso não tivesse importância. — Oi — repete ela.

— Oi — respondo.

— Volte ao normal com ele, OK? Só isso. *Fale* com ele, Will. Não sei se você percebeu, mas tudo fica melhor pra você quando fala com as pessoas.

— Quer ir lá em casa depois da escola? — pergunto.

— Com certeza. — Ela sorri, então gira num semicírculo e se vai. Dá alguns passos antes de se virar outra vez e dizer: — Fale. Com. Tiny.

Por algum tempo, simplesmente fico parado diante do meu armário. Mesmo depois de todos os sinais soarem. Sei por que ele não me contou: não é porque ele se sinta estranho que, pela primeira vez na história da humanidade, esteja solteiro e eu (meio que) comprometido. Ele disse que o outro Will Grayson ia bem porque eu não tenho importância.

Tiny pode ignorá-lo quando está apaixonado. Mas, quando Tiny Cooper mente pra você sobre seu coração partido, o contador Geiger disparou o martelo. A radiação escapou. A amizade está morta.

Naquele dia, depois da escola, Jane está na minha casa, sentada diante de um tabuleiro de Scrabble e de mim. Escrevo *caolho*, que é uma ótima palavra, mas também abre espaço para uma palavra tripla pra ela. "Ah, meu Deus, eu te amo", diz ela, e deve estar bem perto da verdade, porque, se tivesse falado isso uma semana antes, eu não teria nem dado atenção, e agora as palavras pairam no ar eternamente até que, por fim, ela quebra o constrangimento dizendo:

— Isso é uma coisa estranha pra se dizer pra alguém que você começou a namorar! Ah, uau, que esquisito! — Após um momento de silêncio, ela prossegue: — Ei, para aumentar o constrangimento, a gente tá namorando?

A palavra revira meu estômago um pouco e eu digo:

— Podemos estar não não-namorando?

Ela sorri e escreve *relho*, de 36 pontos. É absolutamente impressionante, a coisa toda. Suas omoplatas são impressionantes. Seu amor apaixonadamente irônico pelas novelas dos anos 1980 é impressionante. A maneira como ri das minhas piadas muito, muito alto é impressionante — e tudo isso só faz com que seja ainda mais impressionante que ela não preencha o vazio que Tiny deixou com sua ausência.

Para ser perfeitamente honesto, eu o senti no último semestre, quando ele foi se tornar presidente da AGH e entrei para o Grupo de Amigos. Provavelmente foi por isso que escrevi a carta ao editor e assinei. Não porque quisesse que a escola soubesse que eu a havia escrito, mas porque queria que Tiny soubesse.

No dia seguinte, minha mãe me deixa cedo na escola. Entro e deslizo um bilhete para dentro do armário de Jane, o que se tornou um hábito pra mim. Sempre um ou dois versos de algum poema na gigantesca antologia de poesia que minha professora de inglês do segundo ano usava pra dar aula. Eu disse que não seria o tipo de namorado que lê poemas pra ela, e não sou, mas acho que sou o tipo de idiota brega que escorrega trechos de poesia pra suas manhãs.

O de hoje: "Vejo-te melhor no escuro/Não preciso de uma luz." — Emily Dickinson.

E então me acomodo em meu lugar na aula de pré-cálculo vinte minutos adiantado. Tento estudar um pouco para a prova de química, mas desisto em vinte segundos. Pego o celular e verifico meu e-mail. Nada. Fico olhando pra sua carteira vazia, a carteira que ele preenche com uma plenitude inimaginável para o restante de nós.

Resolvo escrever um e-mail pra ele, digitando com os polegares em meu minúsculo teclado. Só estou passando o tempo, na realidade. Fico usando palavras longas e desnecessárias porque elas fazem a escrita absorver os minutos.

não que eu sinta um desejo urgente de sermos amigos, mas queria que pudéssemos ser uma coisa ou outra. embora eu racionalmente saiba que sua saída de minha vida é uma bênção generosa, que na maioria dos dias você não passa de um fardo de 130 quilos acorrentado a mim, e que você claramente nunca gostou da minha pessoa. sempre reclamei de você e de sua imensidão generalizada, e agora sinto falta dela. garoto típico, você diria. não sabe o que tinha até perder. e talvez esteja certo, tiny. sinto muito por will grayson. por nós dois.

O primeiro sinal por fim toca. Salvo o e-mail como rascunho.

Tiny se senta perto de mim e diz: "Oi, Grayson", e eu digo: "Oi, como está tudo?" e ele diz: "Bem. Hoje tem um ensaio geral", e eu digo: "Incrível", e ele diz: "O que está acontecendo com você?", e eu digo: "Este trabalho de inglês está me matando", e ele diz: "É, as minhas notas estão impraticáveis", e eu digo: "É", e o segundo sinal toca e nós voltamos nossa atenção para o Sr. Applebaum.

Quatro horas depois: estou no meio da fila de pessoas que saem apressadas da sala de aula de física no quinto tempo quando, pela janela, vejo Tiny passando. Ele para, gira dramaticamente na direção da porta e espera por mim.

— Nós terminamos — conta ele com naturalidade.

— Foi o que ouvi falar. Obrigado por me contar... depois de contar pra todo mundo.

— É, bem — diz ele. As pessoas dão a volta em torno de nós como se fôssemos um coágulo sanguíneo na artéria do corredor. — O ensaio vai até tarde (vamos repassar tudo depois do ensaio geral), mas que tal uma ceia? Hot Dog Palace ou algo no gênero?

Penso por um minuto, lembrando do e-mail não enviado na minha pasta de rascunhos, e no outro Will Grayson, e em Tiny no palco me falando a verdade pelas costas, e então digo:

— Acho que não. Estou cansado de ser seu Plano B, Tiny.

Isso não o perturba, naturalmente.

— Bem, acho que te vejo na peça então.

— Não sei se vou conseguir ir, mas vou tentar.

Por alguma razão, é difícil ler a expressão de Tiny, mas acho que tenho um palpite. Não sei exatamente por que quero fazê-lo se sentir um lixo, mas é o que quero.

Estou indo para o armário de Jane quando ela surge por trás de mim e pergunta:

— Posso falar com você um minuto?

— Pode falar comigo bilhões de minutos — sorrio.

Entramos em uma sala de espanhol vazia. Ela gira uma cadeira e se senta, e o encosto da cadeira parece um escudo. Ela está usando uma camiseta justa debaixo de um casaco de abotoamento duplo, que acaba de tirar. Está extremamente bonita, tão bonita que me pergunto em voz alta se não podemos conversar na minha casa.

— Eu acabo ficando distraída na sua casa. — Ela levanta as sobrancelhas e sorri, mas vejo que isso é forçado. — Você disse ontem que estávamos não não-namorando, como se isso não fosse nada demais, e eu sei que faz uma semana e somente uma semana, mas eu, na verdade, não quero não não-namorar você; eu quero ser sua namorada ou não, e acho que a essa altura já está qualificado para tomar pelo menos uma decisão temporária sobre o assunto, porque eu sei que estou.

Ela abaixa os olhos por um segundo, e percebo que seu cabelo dividido ao meio forma um zigue-zague acidental no alto da cabeça, e tomo fôlego pra falar, mas ela continua:

— Além disso, não vou ficar *arrasada* nem nada do tipo. Não sou assim. Só acho que, se você não *diz* a coisa mais sincera, às vezes, essa coisa nunca se torna realidade, sabe, e eu...

Nesse momento eu levanto o dedo, porque preciso ouvir o que ela acabou de dizer e ela fala rápido demais pra que eu possa acompanhar. Continuo com a mão levantada, pensando que *se você não diz a coisa mais sincera, ela nunca se torna realidade.*

Ponho as mãos nos ombros dela.

— Acabo de me dar conta de uma coisa. Eu gosto muito, muito de você. Você é incrível, e eu quero muito ser seu namorado, por causa do que acabou de dizer, e também porque essa blusa me faz querer te levar pra casa agora e fazer coisas inqualificáveis enquanto assistimos a filmes da Sailor Moon. Mas-mas-mas você está totalmente certa em relação a dizer a coisa mais sincera. Acho que, se você mantém a caixa fechada por muito tempo, você mata, de fato, o gato. E, Deus, espero que você não tome isso como algo pessoal, mas amo meu melhor amigo mais que qualquer um no mundo.

Agora ela me olha, estreitando os olhos, confusa.

— É isso. Eu amo Tiny Cooper, porra.

Jane diz:

— Hã, ok. Você está me pedindo pra ser sua namorada ou está me dizendo que é gay?

— Primeira opção. A da namorada. Agora tenho de ir procurar Tiny.

Eu me levanto, dou um beijo no zigue-zague dela e então saio em disparada.

Ligo pra ele enquanto atravesso correndo o campo de futebol, pressionando a tecla do número 1 para discagem rápida. Ele não atende, mas acho que sei aonde ele pensa que estou indo, então vou para lá.

Assim que vejo o parque à minha esquerda, desacelero para uma caminhada rápida e ofegante, os ombros queimando sob as alças da mochila. Tudo depende de ele estar no banco de reservas, e é tão improvável que ele vá até lá a três dias da estreia da peça, e enquanto caminho começo a me sentir um idiota: o telefone dele está desligado porque ele está no ensaio, e corri até aqui em vez de correr até o auditório, o que significa que agora vou ter de correr *de volta* para o auditório, e meus pulmões não foram projetados para um uso assim tão rigoroso.

Desacelero ainda mais quando alcanço o parque, em parte porque estou sem fôlego e em parte porque, enquanto não posso ver o interior do abrigo do banco de reservas, ele está lá e não está. Observo um casal andando no gramado, sabendo que eles podem ver o banco, tentando saber pelos olhos deles se veem um gigante sentado no banco de reservas deste campo da Liga Júnior. Mas os olhos deles não revelam nada e eu simplesmente fico olhando enquanto eles andam de mãos dadas.

Finalmente, o banco fica à vista. E, porra, ali está ele, sentado bem no meio daquele banco de madeira.

Vou até ele.

— Você não tem ensaio geral?

Ele não diz nada até eu me sentar ao lado dele no gelado banco de madeira.

— Eles precisam de um ensaio sem mim. Ou vão acabar se amotinando. Vamos fazer o ensaio final um pouco mais tarde hoje.

— Então, o que o traz ao banco de reservas?

— Lembra que, logo depois que saí do armário, em vez de algo como "Tiny joga no outro time", você costumava dizer: "Tiny joga no White Sox"?

— Sim. Isso é homofóbico? — pergunto.

— Não — diz ele. — Bem, provavelmente é, mas não me incomodou. De qualquer forma, quero pedir desculpas.

— Por quê?

Aparentemente, pronunciei as palavras mágicas, pois Tiny respira fundo antes de começar a falar, como se, imagine só, tivesse muito a dizer.

— Por não dizer na sua cara o que disse a Gary. Não vou pedir desculpas por ter dito aquilo, porque é a verdade. Você e suas malditas regras. E, às vezes, fica obsessivo, e tem algo de melodramático em sua atitude antimelodrama, e eu sei que sou difícil, mas você também é, e essa sua mania de bancar a vítima está muito velha, e além do mais você é muito egocêntrico.

— O sujo falando do mal-lavado — digo, tentando não ficar puto. Tiny tem um talento incrível pra furar a bolha de amor que sinto por ele. Talvez, penso, essa seja a razão de ele levar tanto pé na bunda.

— Rá! Verdade. Verdade. Não estou dizendo que sou inocente. Estou dizendo que você é culpado também.

O casal caminhando sai do meu campo de visão. E então finalmente me sinto pronto para banir o tremor que Tiny aparentemente pensa que é fraqueza. Eu me levanto, de modo que ele tenha de olhar pra mim e eu também tenha de olhar pra ele, e pela primeira vez, fico mais alto.

— Eu amo você — digo.

Ele inclina a cabeça gorda e adorável, como um cachorrinho confuso.

— Você é um péssimo melhor amigo — continuo. — Péssimo! Você me abandona totalmente todas as vezes em que arranja um namorado, e depois volta rastejando quando leva um fora. Você não me escuta. Parece nem *gostar* de mim. Está obcecado pela peça e me ignora totalmente, exceto para me insultar pra um amigo nosso pelas minhas costas. E você explora sua vida e as pessoas de quem diz gostar para que sua pecinha possa fazer as pessoas te amarem e pensarem o quanto você é incrível, liberal e espetacularmente gay. Mas sabe de uma coisa? Ser gay não é desculpa pra ser filho da puta.

"Mas você é o número um na minha discagem direta e quero que continue sendo, e peço desculpas por ser também um péssimo melhor amigo, e eu te amo."

Ele insiste em manter a cabeça virada.

— Grayson, você está se declarando pra mim? Porque eu, quero dizer, não é nada pessoal, mas eu prefiro me tornar hétero a ter um caso com você.

— NÃO. Não, não, não. Eu não quero *foder* com você. Eu só te *amo*. Quando foi que quem você quer foder se tornou o mais importante? Desde quando a pessoa que você quer foder é a única pessoa que você ama? Isso é tão estúpido, Tiny! Quero dizer, meu Deus, quem se importa com a porra do sexo?! As pessoas agem como se essa fosse a coisa mais importante que os seres humanos fazem, mas vamos combinar. Como pode a porra das nossas vidas evoluídas girar em torno de algo que as *lesmas* podem fazer? Quero dizer, tudo gira em torno de quem você quer foder e se você fode com essa pessoa? Essas perguntas são importantes, eu acho. Mas não *tão* importantes assim. Sabe o que é importante? Por quem você morreria? Por quem acorda às 5h45 sem nem saber pra que ele precisa de você? De que bêbado você limparia o nariz?!

Estou gritando, girando os braços, e até minhas perguntas importantes se esgotarem, nem percebo que Tiny está chorando. E então suavemente, o mais suave que já ouvi Tiny dizer qualquer coisa, ele diz:

— Se você pudesse escrever uma peça sobre alguém... — E então sua voz falha.

Eu me sento ao lado dele e o abraço.

— Você está bem?

De alguma forma, Tiny Cooper consegue se contorcer de modo que sua cabeça imensa chore em meu ombro estreito. E depois de um tempo, ele diz:

— Longa semana. Longo mês. Longa vida.

Ele se recupera rapidamente, enxugando os olhos com a gola levantada da camisa polo que está usando por baixo do suéter listrado.

— Quando você namora alguém, tem os indicadores pelo caminho, certo? Vocês se beijam, têm A Conversa, dizem as Três Palavrinhas, vocês se sentam em um balanço e terminam. Pode-se assinalar os pontos em um gráfico. E vocês checam essas coisas um com o outro pelo caminho: Posso fazer isso? Se eu disser isso, você dirá também?

"Mas com amigos, não tem nada assim. Estar em um relacionamento, isso é algo que você escolhe. Ser amigo, isso é simplesmente algo que você é."

Fico apenas olhando pro campo de futebol por um minuto. Tiny funga.

— Eu escolheria você — digo. — Porra, eu escolheria você, *sim*. Quero que daqui a vinte anos você vá à minha casa com seu cara ou seus filhos adotivos e quero que a porra dos nossos filhos sejam amigos e quero, tipo, beber vinho e falar sobre o Oriente Médio, ou sei lá que porra vamos querer fazer quando formos velhos. Somos amigos há tempo demais pra escolher, mas, se pudéssemos escolher, eu escolheria você.

— Tá, ok. Você está ficando um tanto sentimentaloide, Grayson — diz ele. — Isso está meio que me assustando.

— Entendi.

— Tipo, nunca mais diga que me ama.

— Mas eu te amo. Não tenho vergonha disso.

— É sério, Grayson, pare com isso. Você está me dando vontade de vomitar.

Eu rio.

— Posso te ajudar com a peça?

Tiny leva a mão ao bolso, tira um pedaço de folha de caderno e o entrega a mim.

— Pensei que você nunca fosse pedir — diz ele, sorrindo de forma maliciosa.

Will (e, em menor grau, Jane),

Obrigado por seu interesse em me ajudar nos ajustes finais de *Me abrace mais forte*. Eu me sentiria imensamente grato se vocês dois ficassem nos bastidores na noite de estreia pra ajudar nas trocas de figurino e pra acalmar os membros do elenco em geral (ok, digamos apenas: eu). Dali vocês terão uma visão excelente da peça.

Além disso, o figurino de Phil Wrayson está excelente, mas ficaria ainda melhor se tivéssemos algumas roupas típicas de Will Grayson para Gary usar.

E mais: pensei que teria tempo de gravar uma playlist pré-show no qual as faixas ímpares fossem punk rock e as pares temas de musicais. Mas, na verdade, não terei tempo pra fazer isso; se vocês fizessem, seria verdadeiramente fabuloso.

Vocês formam um lindo casal, foi um imenso prazer reuni-los e de modo algum me ressinto pelo fato de ambos deixarem de me agradecer por tornar seu amor possível.

Eu continuo...

Seu fiel cupido e criado...

Labutando sozinho e recém-solteiro em um mar de dor pra levar um pouco de luz a suas vidas...

Tiny Cooper

Rio enquanto leio, e Tiny também, concordando com acenos da cabeça, apreciando a própria genialidade.

— Sinto muito pelo outro Will Grayson — digo.

O sorriso dele se fecha. Sua resposta parece dirigida mais ao meu xará do que a mim.

— Nunca houve alguém como ele.

Não acredito nas palavras dele, mas então ele solta o ar com os lábios fechados, os olhos tristes estreitados olhando para a distância, e passo a acreditar.

— É melhor eu começar com isso, hein? Obrigado pelo convite para os bastidores.

Ele se levanta e começa a balançar positivamente a cabeça como às vezes faz, o gesto repetitivo que me diz que está se convencendo de alguma coisa.

— Sim, eu tenho de voltar pra enfurecer o elenco e a equipe técnica com minha direção tirânica.

— Vejo você amanhã, então — digo.

— E todos os outros dias — retruca ele, me dando um tapinha forte demais entre as omoplatas.

capítulo dezoito

começo a prender a respiração. não como se faz ao passar por um cemitério ou algo assim. não. estou tentando ver quanto tempo aguento antes de desmaiar ou morrer. é um passatempo muito conveniente — você pode praticar em qualquer lugar. aula. almoço. no mictório. no desconforto do próprio quarto.

a parte ruim é que sempre chega o momento em que volto a inspirar. só consigo me forçar até ali.

desisti de ter notícias de tiny. eu o magoei, ele me odeia — é simples assim. e agora que ele não me manda mais mensagens de texto, percebo que ninguém mais manda. nem mensagens de voz. ninguém mais se importa.

agora que ele não se interessa mais por mim, me dou conta de que ninguém mais tem tanto interesse assim em mim.

ok, mas tem o gideon. ele não é muito bom com mensagens de texto ou de voz, mas, quando estamos na escola, está sempre me perguntando como as coisas estão indo. e sempre paro de não respirar pra responder a ele. às vezes até falo a verdade.

eu: sério, é assim que vai ser o resto da minha vida? não creio que eu tenha pedido isso.

sei que parece idiotice de adolescente — as farpas! no coração! e nos olhos! —, mas o padrão parece inevitável. nunca vou conseguir ser uma pessoa boa. sempre vou ser o sangue e a merda das coisas.

gideon: apenas respire.

e eu me pergunto como ele sabe dizer essas coisas.

a única hora que finjo ter tudo sob controle é quando maura está por perto. não quero que ela me veja desmoronando. pior cenário: ela pisa em todos os pedaços. cenário ainda pior: ela tenta colá-los outra vez. percebo: estou agora onde ela estava comigo. no outro lado do silêncio. seria de esperar que o silêncio traria paz. mas, na verdade, ele é doloroso.

em casa, minha mãe vigia de perto. o que me faz sentir pior, porque agora estou fazendo ela passar por isso.

naquela noite — do dia em que estraguei tudo com tiny — ela escondeu a jarra de vidro que ele lhe deu. enquanto eu dormia, guardou a jarra. e o mais idiota foi que, quando vi que havia desaparecido, a primeira coisa que pensei foi que minha mãe tinha medo de eu quebrá-la. depois percebi que ela só estava tentando me proteger de vê-la, de ficar chateado.

na escola, pergunto a gideon

eu: por que perturbado em inglês é *up*set? não devia ser *down*set?

gideon: a primeira coisa que vou fazer é entrar com um processo contra os dicionários de inglês. vamos rasgar um novo cu no merriam e atirar o webster dentro dele.

eu: você é tão idiota.

gideon: só se você me pegar num bom dia.

não digo a gideon que me sinto culpado de estar com ele.
porque e se a ameaça que tiny sentiu vier a ser verdade? e se eu
o estava enganando sem saber?

eu: é possível enganar uma pessoa sem saber?

não é a gideon que faço essa pergunta. é à minha mãe.

ela tem tido tanto cuidado comigo. tem pisado em ovos
com meus humores, agindo como se tudo estivesse bem. mas
agora ela se imobiliza.

mãe: por que você está me perguntando isso? você traiu
tiny?

e eu estou pensando: ah, merda, não devia ter perguntado
isso.

eu: não. não traí. por que você ficou tão brava?

mãe: nada.

eu: não, por quê? meu pai traiu você?

ela balança a cabeça.

eu: você traiu meu pai?

ela suspira.

mãe: não. não é isso. é que... eu não quero que você jamais seja um traidor. não com as pessoas. tudo bem mentir às vezes em relação a coisas — mas nunca em relação a pessoas. porque uma vez que você começa, é muito difícil parar. você acaba descobrindo como é fácil fazer isso.

eu: mãe?

mãe: isso é tudo. por que você está perguntando?

eu: por nada. só pensando.

venho pensando muito ultimamente. às vezes, quando estou passando a marca do minuto prendendo a respiração, além de me imaginar morto, também penso no que tiny está fazendo. às vezes imagino o outro will grayson lá. na maioria das vezes, eles estão no palco. mas nunca consigo entender o que estão cantando.

e o estranho é que voltei a pensar em isaac. e em maura. e em como é estranho que tenha sido uma mentira aquilo que me fez mais feliz.

tiny não responde a nenhuma das mensagens que mando pela internet. então, na noite da véspera do musical, decido digitar o nome do outro will grayson. e lá está ele. não que eu pense que ele vai compreender totalmente. sim, temos o mesmo nome, mas isso não quer dizer que somos gêmeos psíquicos. ele não vai se encolher de dor se eu me queimar, nem nada desse tipo. mas naquela noite em chicago, senti que ele compreendia um pouco. e, sim, também quero saber se tiny está bem.

willupleasebequiet: oi

willupleasebequiet: é o will grayson.

willupleasebequiet: o outro.

WGrayson7: opa. olá.

willupleasebequiet: tudo bem eu falar com você?

WGrayson7: sim. o que você está fazendo acordado à 1h33min48s?

willupleasebequiet: esperando pra ver se 1h33min49s é um pouco melhor. e você?

WGrayson7: se não estou enganado, acabei de ver, via webcam, um número musical revisto que inclui o fantasma de oscar wilde, ao vivo do quarto do

WGrayson7: diretor-autor-astro-etc.-etc.-etc.

willupleasebequiet: como foi?

willupleasebequiet: não.

willupleasebequiet: quero dizer, como ele está?

WGrayson7: a verdade?

willupleasebequiet: sim.

WGrayson7: não creio que já o tenha visto mais nervoso. e não porque ele é o diretor-autor-astro-etc.-etc., mas porque significa muito pra ele, sabe? ele acredita de verdade que pode mudar o mundo.

willupleasebequiet: posso imaginar.

WGrayson7: desculpe, está tarde. e eu nem tenho certeza se devia estar falando sobre tiny com você.

willupleasebequiet: acabei de consultar os estatutos da sociedade internacional de will graysons e não encontrei nada sobre isso. estamos em território amplamente não documentado.

WGrayson7: exatamente. pode haver dragões por aqui.

willupleasebequiet: will?

WGrayson7: sim, will.

willupleasebequiet: ele sabe que lamento muito?

WGrayson7: não sei. segundo minha recente experiência, eu diria que a mágoa tende a abafar as desculpas.

willupleasebequiet: eu simplesmente não podia ser aquela pessoa pra ele.

WGrayson7: aquela pessoa?

willupleasebequiet: a que ele quer de verdade.

willupleasebequiet: só queria que tudo não fosse tentativa e erro.

willupleasebequiet: porque é isso que é, não é mesmo?

willupleasebequiet: tentativa e erro.

willupleasebequiet: acho que existe uma razão para que não chamem o processo de "tentativa e acerto"

willupleasebequiet: é tentativa-erro

willupleasebequiet: tentativa-erro

willupleasebequiet: tentativa-erro

willupleasebequiet: desculpe. você ainda está aí?

WGrayson7: sim.

WGrayson7: se isso fosse há duas semanas, eu teria concordado com você de coração.

WGrayson7: agora não tenho tanta certeza.

willupleasebequiet: por quê?

WGrayson7: bem, concordo que "tentativa e erro" seja um nome bastante pessimista para o processo. e talvez seja isso mesmo na maior parte das vezes.

WGrayson7: mas acho que o ponto é que não se trata apenas de tentativa-erro.

WGrayson7: quase sempre é tentativa-erro-tentativa

WGrayson7: tentativa-erro-tentativa

WGrayson7: tentativa-erro-tentativa

WGrayson7: e é assim que você encontra a coisa certa.

willupleasebequiet: a coisa certa?

WGrayson7: você sabe. *a coisa certa.*

willupleasebequiet: é, *a coisa certa.*

willupleasebequiet: tentativa-erro-tentativa-*a coisa certa*

WGrayson7: bem... ainda não fiquei *tão* otimista assim.

WGrayson7: é mais como tentativa-erro-tentativa-erro-tentativa-erro-tentativa-erro-tentativa-erro-tentativa... pelo menos mais umas 15 rodadas... depois tentativa-erro-tentativa-*a coisa certa*

willupleasebequiet: sinto saudades dele. mas não da maneira como ele iria querer que eu sentisse.

WGrayson7: você vem amanhã?

willupleasebequiet: não acho que seria uma boa ideia. você acha?

WGrayson7: você quem sabe. poderia ser outro erro. ou poderia ser *a coisa certa.* só me faça um favor e me ligue antes pra que eu possa avisá-lo.

isso parece justo. ele me dá o número do telefone dele e eu dou o meu. gravo em meu celular antes que eu esqueça. na hora de atribuir o nome ao número, digito apenas *will grayson.*

willupleasebequiet: qual é o segredo da sua sabedoria, will grayson?

WGrayson7: acho que é andar com as pessoas certas, will grayson.

willupleasebequiet: bem, obrigado pela ajuda.

WGrayson7: gosto de estar à disposição de todos os ex-namorados do meu melhor amigo.

willupleasebequiet: é necessário uma aldeia inteira pra namorar tiny cooper.

WGrayson7: exatamente.

willupleasebequiet: boa noite, will grayson.

WGrayson7: boa noite, will grayson.

queria dizer que isso me acalma. queria dizer que caio no sono imediatamente. mas a noite inteira minha mente fica

tentativa-erro-?

tentativa-erro-?

tentativa-erro-?

de manhã, estou um lixo. acordo e penso: *hoje é o dia.* e então penso: *isso não tem nada a ver comigo.* eu nem mesmo o ajudei com a peça. é só que agora não vou vê-la. eu sei que é justo, mas não me parece justo. a sensação que tenho é de que estraguei tudo.

no café da manhã, minha mãe percebe meu ódio sem paralelo a mim mesmo. provavelmente é a maneira como afundo as colheradas de chocolate em pó até o leite derramar que sugere a ela.

mãe: will, qual é o problema?

eu: qual não é?

mãe: will...

eu: está tudo bem.

mãe: não, não está.

eu: como você pode me dizer que não está? essa escolha não é minha?

ela se senta na minha frente e cobre a minha mão com a dela, embora agora haja uma poça de leite cor de chocolate debaixo do seu pulso.

mãe: você sabe o quanto eu costumava gritar?

não tenho a menor ideia do que ela está falando.

eu: você não grita. você fica em silêncio.

mãe (balançando a cabeça): mesmo quando você era pequeno, mas principalmente quando seu pai e eu estávamos passando pelo que passamos; havia ocasiões em que eu tinha de sair de casa, entrar no carro, dobrar a esquina e gritar até não poder mais. eu gritava, gritava e gritava. às vezes era só barulho. e às vezes palavrões; todo palavrão que você puder imaginar.

eu: posso pensar em muitos deles. você já gritou "merdelhéu!"?

mãe: não, mas...

eu: e "foder o cu do palhaço!"?

mãe: ...

eu: você devia tentar "foder o cu do palhaço". é bastante eficaz.

mãe: o que estou querendo dizer é que tem horas que você precisa botar tudo pra fora. toda a raiva. toda a dor.

eu: você já pensou em falar com alguém sobre isso? quero dizer, eu tenho uns comprimidos que podem te interessar, mas acho que precisa de uma receita. não é nada de mais — só leva uma hora do seu tempo para que deem o diagnóstico.

mãe: will.

eu: desculpe. é só que não é de fato raiva ou dor que estou sentindo. só raiva de mim mesmo.

mãe: ainda assim é raiva.

eu: mas você não acha que isso não devia contar? quero dizer, não é o mesmo que ter raiva de outra pessoa.

mãe: por que nesta manhã?

eu: como assim?

mãe: por que você está com raiva de si mesmo justamente hoje?

não é que eu tenha planejado anunciar o fato de que estou com raiva. ela meio que me prepara uma armadilha pra eu falar. eu, entre todas as pessoas, posso respeitar isso. então digo a ela que hoje é o dia da apresentação do musical de tiny.

mãe: você devia ir.

agora é a minha vez de balançar a cabeça.

eu: sem chance.

mãe: com chance. e will?

eu: sim?

mãe: você também devia falar com maura.

afundo as colheradas de chocolate em pó antes que haja um meio de ela me persuadir. quando chego à escola, passo por maura em seu posto de observação e tento usar o dia como uma distração. tento prestar atenção às aulas, mas elas são tão entediantes que é como se os professores estivessem tentando me levar de volta aos meus pensamentos. tenho medo do que gideon me dirá se eu confidenciar a ele, então tento fingir que é um dia normal e que não estou catalogando todas as coisas que fiz de errado nas últimas semanas. dei mesmo uma chance a tiny? dei uma chance a maura? eu não devia tê-lo deixado me acalmar? não devia tê-la deixado explicar por que fez o que fez?

finalmente, quando o dia acaba, não posso mais lidar com aquilo sozinho, e é a gideon que quero recorrer. parte de mim tem esperança de que ele me diga que não tenho nada do que me envergonhar, que não fiz nada de errado. eu o encontro em seu armário e digo

eu: dá pra acreditar? minha mãe disse que eu devia ir ver a peça de tiny *e* falar com maura.

gideon: devia mesmo.

eu: sua irmã usou sua boca como cachimbo de crack ontem à noite? você pirou?

gideon: não tenho irmã.

eu: que seja. você entendeu o que eu quis dizer.

gideon: eu vou com você.

eu: o quê?

gideon: vou pegar o carro da minha mãe emprestado. você sabe onde fica a escola de tiny?

eu: você tá brincando.

e é então que acontece. é quase espantoso, de verdade. gideon se torna um pouco — só um pouquinho — mais como eu.

gideon: podemos apenas dizer "foda-se" pra parte do "você tá brincando"? tudo bem? não estou dizendo que você e tiny deviam ficar juntos pra sempre e ter bebês imensos e depressivos que têm períodos de magreza maníaca, mas acho, de verdade, que a maneira como vocês dois se separaram é bastante desfavorável, e eu apostaria vinte dólares, se eu tivesse vinte dólares, que ele está sofrendo o mesmo que você. ou talvez tenha encontrado outro namorado. talvez também chamado will grayson. qualquer que seja o caso, você vai ficar sendo esse *pé no saco* ambulante e falante a menos que alguém leve essa sua bunda aonde quer que ele esteja, e neste caso em particular, e em qualquer outro caso em particular em que você precise de mim, eu sou esse alguém. sou o cavaleiro com a armadura reluzente. sou seu maldito corcel.

eu: gideon, eu não fazia a menor ideia...

gideon: cale a porra da boca.

eu: diz de novo!

gideon (rindo): cale a porra da boca!

eu: mas por quê?

gideon: por que você deveria calar a porra da boca?

eu: não — por que você é o meu *maldito corcel*?

gideon: porque você é meu amigo, seu desorientado. porque debaixo de toda essa negação, você é uma pessoa muito, muito legal. e porque desde que o mencionou pela primeira vez, estou morrendo de vontade de ver esse musical.

eu: ok, ok, ok.

gideon: e a segunda parte?

eu: que segunda parte?

gideon: falar com maura.

eu: você tá de brincadeira.

gideon: nem um pouco. você tem 15 minutos enquanto vou buscar o carro.

eu: não quero.

gideon me lança um olhar severo.

gideon: quantos anos você tem? três?

eu: mas por que eu deveria fazer isso?

gideon: aposto que pode responder isso sozinho.

digo que ele está totalmente louco. ele me manda embora e repete que preciso fazer isso, e que ele vai buzinar quando voltar pra me pegar.

o pior é que sei que ele tem razão. esse tempo todo, pensei que o tratamento do silêncio estivesse funcionando. porque, afinal, não sinto falta dela. então percebo que sentir ou não a falta dela não é a questão. a questão é que ainda estou carregando comigo o que aconteceu, tanto quanto ela. e preciso me livrar disso. porque nós dois derramamos as toxinas em nossa amizade tóxica. e, embora eu não tenha exatamente criado uma armadilha com um namorado imaginário, certamente contribuí com erros o bastante pras nossas tentativas. não tem como encontrarmos um estado ideal, *a coisa*. mas acho que estou vendo que temos de pelo menos chegar a *uma coisa* que possamos tolerar.

saio do prédio e, no fim do dia, lá está ela, no mesmo lugar em que fica no início. empoleirada em um muro, com o caderno na mão. olhando os outros alunos passando, sem dúvida desdenhando cada um deles, inclusive eu.

tenho a sensação de que devia ter preparado um discurso. mas, para isso, teria de saber o que vou dizer. e não tenho a menor ideia, sério. o melhor que consigo elaborar é

eu: oi

a que ela responde

maura: oi

ela me lança aquele olhar sem expressão. olho pros meus sapatos.

maura: a que devo esse prazer?

era assim que falávamos um com o outro. sempre. e eu não tenho mais energia pra isso. não é assim que quero falar com meus amigos. não sempre.

eu: maura, pare.
maura: parar? você tá brincando, né? você não fala comigo por um mês, e, quando fala, é pra me dizer pra parar?
eu: não foi pra isso que vim até aqui...
maura: então por que você veio até aqui?
eu: não sei, ok?

maura: o que isso quer dizer? é claro que você sabe.

eu: olhe. só quero que você saiba que, embora ainda ache que o que fez foi uma grande sacanagem, reconheço que fui sacana com você também. não com a sacanagem elaborada que você fez comigo, mas ainda assim uma sacanagem. eu deveria simplesmente ter sido sincero com você e dito que não queria falar com você nem ser seu namorado nem ser seu melhor amigo nem nada desse tipo. eu tentei — juro que tentei. mas você não queria ouvir o que eu estava dizendo, e usei isso como desculpa pra ir levando.

maura: você não se importava quando eu era isaac. quando conversávamos toda noite.

eu: mas aquilo era uma mentira! uma completa mentira!

agora maura me olhou dentro do olho.

maura: ah, por favor, will — você sabe que não existe essa coisa de completa mentira. há sempre uma verdade nela.

não sei como reagir a isso. então digo a primeira coisa que me vem à cabeça.

eu: não era de você que eu gostava. era de isaac. eu gostava de isaac.

a expressão vazia agora desapareceu. há tristeza em seu lugar.

maura: ... e isaac gostava de você.

tenho vontade de dizer: eu só quero ser eu mesmo. e quero estar com alguém que é apenas ele mesmo. só isso. quero ver através de toda encenação e de todo o fingimento, e ir direto à verdade. e talvez essa seja a maior verdade que maura e eu encontraremos — um reconhecimento da mentira, e dos sentimentos que ficaram para trás.

eu: me desculpe, maura.
maura: me desculpe também.

é por isso que chamamos as pessoas de ex, acho — porque os caminhos que se cruzam no meio acabam se separando no fim. é muito fácil ver esse x como uma anulação. mas não é, porque não tem como anular uma coisa assim. o x é um diagrama de dois caminhos.

ouço uma buzina e me viro pra ver gideon chegando no carro da mãe.

eu: preciso ir.
maura: então vai.

eu me afasto e entro no carro com gideon e conto a ele tudo que acabou de acontecer. ele diz que está orgulhoso de mim, e eu não sei o que fazer com isso.

eu: por quê?

e ele diz

gideon: por pedir desculpas. eu não tinha certeza se você conseguiria.

digo a ele que também não tinha. mas era o que eu estava sentindo. e eu queria ser sincero.

de repente — é tipo a próxima coisa de que me dou conta — estamos na estrada. não tenho nem certeza se vamos chegar a tempo pra peça de tiny. não tenho nem certeza se devia ir. não tenho nem certeza se quero ver tiny. só quero ver como ficou a peça.

gideon está assobiando, acompanhando a música do rádio, ao meu lado. normalmente esse tipo de coisa me irrita, mas dessa vez não.

eu: queria poder mostrar a verdade pra ele.

gideon: pra tiny?

eu: sim. você não precisa namorar alguém pra achar que ele é maravilhoso, certo?

prosseguimos um pouco mais. gideon recomeça a assobiar. imagino tiny correndo de um lado pro outro nos bastidores. então gideon para de assobiar. ele sorri e bate no volante.

gideon: por júpiter, acho que já sei!

eu: você disse mesmo isso?

gideon: admita. você adora.

eu: estranhamente, adoro mesmo.

gideon: acho que tenho uma ideia.

então ele me conta. e não posso acreditar que eu tenha um indivíduo com a mente tão doentia, distorcida e brilhante sentado ao meu lado.

mais do que isso, porém, não posso acreditar que eu esteja prestes a fazer o que ele está sugerindo.

capítulo dezenove

Jane e eu passamos as horas antes da Noite de Estreia criando a playlist pré-show perfeita, composta — como solicitado — de canções pop punk para as ímpares e temas de musicais para as pares. "Annus Miribalis" faz uma aparição; até incluímos a música mais punk do decididamente não punk Neutral Milk Hotel. Quanto às canções de musicais, escolhemos nove diferentes versões de "Over the Rainbow", incluindo uma em ritmo de reggae.

Assim que terminamos a seleção e o download, Jane vai pra casa se arrumar. Estou ansioso para chegar ao auditório, mas parece injusto com Tiny usar um simples jeans e uma camiseta de Willy, o Wildkit, no evento mais importante da vida dele. Assim, ponho um dos casacos esportivos do meu pai sobre a camiseta do Wildkit, ajeito o cabelo e me sinto pronto.

Espero até minha mãe chegar em casa, pego as chaves com ela antes mesmo que possa abrir totalmente a porta, e sigo pra escola.

Entro no auditório quase vazio — falta ainda mais de uma hora para as cortinas subirem — e sou recebido por Gary, cujo cabelo está pintado mais claro, cortado bem curto e bagunçado como o meu. Além disso, ele está usando minhas roupas, que entreguei a ele ontem: calça cáqui, a camisa xadrez de mangas curtas e botões que eu adoro, e meu tênis de cano alto preto. O efeito todo seria surreal, exceto pelo fato de as roupas estarem ridiculamente amarrotadas.

— Puxa, Tiny não conseguiu um ferro de passar? — pergunto.

— Grayson — diz Gary —, olhe pra sua calça, cara.

Eu olho. Hã. Eu nem sabia que jeans *podia* amarrotar. Ele passa o braço ao redor do meu ombro e diz:

— Sempre pensei que isso fizesse parte do seu look.

— Agora faz — observo. — Como estão as coisas? Você está nervoso?

— Estou um pouco, mas não tanto quanto Tiny. Na verdade, você pode ir lá atrás e, hã, tentar ajudar? Isto — diz ele, apontando a roupa —, era pro ensaio geral. Tenho de colocar meu traje do White Sox.

— Feito — concordo. — Onde ele está?

— Banheiro dos bastidores — responde Gary.

Entrego a ele o CD do pré-show, saio em disparada pelo corredor e passo por trás da pesada cortina vermelha. Sou recebido por um bando de atores e técnicos em vários estágios da caracterização e, pelo menos dessa vez, eles estão quietos, ocupados em maquiar uns aos outros. Todos os caras do elenco usam uniformes do White Sox, complementados por tênis e meias altas puxadas sobre as calças justas. Digo oi para Ethan, o único que conheço de fato, e então estou prestes a procurar o banheiro quando noto o cenário. É o banco de reservas de um campo de beisebol, muito realista, o que me surpreende.

— Este é o cenário da peça inteira? — pergunto a Ethan

— Meu Deus, não — diz ele. — Tem um diferente pra cada ato.

Ouço a distância um rugido seguido por uma série apavorante de golfadas, e meu primeiro pensamento é: *Tiny incluiu um elefante na peça, e o dito cujo acabou de vomitar*, mas então percebo que o elefante é Tiny.

Contra todo e qualquer bom-senso, sigo o som até o banheiro, o que prontamente se repete. Posso ver os pés dele aparecendo pela base do boxe.

— Tiny — chamo.

— BLLLLAAARRRRGGGGH — responde ele, e então puxa o ar com desespero antes de dar outra golfada. O cheiro é sufocante, mas dou um passo à frente e entreabro a porta. Tiny, usando o maior uniforme do Sox do mundo, está abraçado ao vaso sanitário.

— Nervoso ou passando mal?

— BLLLLLAAAAAAUUUU.

Não posso deixar de ficar surpreso pelo simples volume do que jorra pela boca aberta de Tiny. Identifico uns pedaços de alface, mas gostaria de não ter identificado, porque aí começo a me perguntar: Tacos? Sanduíche de peru? E me vem a sensação de que talvez vá imitá-lo.

— Ok, companheiro, ponha tudo pra fora e você vai ficar bem.

Nick entra intempestivamente no banheiro, gemendo:

— Que cheiro, que cheiro... — E então diz: — Não estraga a porra do cabelo, Cooper! Mantenha a cabeça fora do vaso. Levamos horas com esse cabelo!

Tiny cospe e tosse um pouco e então emite um grasnido:

— Minha garganta. Em carne viva.

Ele e eu percebemos ao mesmo tempo: a voz central do show está arruinada.

Eu o pego por uma axila e Nick pela outra, nós o levantamos e o afastamos dali. Dou a descarga, tentando não olhar o indizível horror dentro do vaso.

— O que foi que você *comeu*?

— Um burrito de frango e um de carne do Burrito Palace — responde ele. Sua voz está toda estranha, o que ele percebe e então tenta cantar. — O que é a segunda base pra um... merda, merda, merda, merda, merda, estraguei a minha voz. Merda.

Com Nick ainda debaixo de um braço de Tiny e eu embaixo do outro, voltamos até onde está a equipe, e grito:

— Preciso de um chá quente com muito mel e um pouco de Pepto-Bismol imediatamente, pessoal!

Jane se aproxima correndo, usando uma camiseta branca masculina de gola V com as palavras *Estou com Phil Wrayson* escritas à mão.

— Deixe comigo — diz. — Tiny, precisa de mais alguma coisa?

Ele levanta uma das mãos pra nos silenciar, e então geme:

— O que é isso?

— O que é o quê? — pergunto.

— Esse barulho. Distante. Isso é... isso é... porra, Grayson, você colocou "Over the Rainbow" no CD do pré-show?

— Ah, sim — digo. — Repetidamente.

— TINY COOPER ODEIA "OVER THE RAINBOW"! — Sua voz soa aguda e dissonante quando ele grita. — Merda, minha voz já era. Merda.

— Fique quieto — recomendo. — Vamos dar um jeito nisso, cara. Só não vomite mais.

— Não tenho mais burrito pra vomitar — responde ele.

— FIQUE QUIETO — insisto.

Ele faz que sim com a cabeça. E, por alguns minutos, enquanto todos correm de um lado pro outro abanando o rosto supermaquiado e sussurrando uns para os outros o quanto estarão maravilhosos, fico sozinho com um Tiny Cooper calado.

— Eu não sabia que você podia ficar nervoso. Fica nervoso antes de um jogo de futebol? — Ele balança a cabeça, dizendo que não. — Ok, só faça que sim com a cabeça, se eu estiver certo. Você está com medo de que a peça não esteja boa de fato. — Ele assente. — Preocupado com sua voz. — Assente. — O que mais? Isso é tudo? — Ele sacode a cabeça, dizendo que não. — Há, está preocupado que ela não vá mudar mentes homofóbicas. — Não. — Está com medo de vomitar no palco. — Não. — Não sei, Tiny, mas o que quer que esteja te preocupando, você é maior que essas preocupações. Você vai *arrasar* lá no palco. Os aplausos vão durar *horas*. Mais que a própria peça.

— *Will* — sussurra ele.

— Cara, poupe sua voz.

— Will — repete.

— Sim?

— Não. *Will*.

— Você está falando do outro Will — digo, e ele se limita a erguer as sobrancelhas e sorrir tolamente.

— Vou dar uma olhada — digo. Faltam vinte minutos para as cortinas subirem, e o auditório está quase cheio. Paro na beirada do palco, olhando para a frente por um segundo, me sentindo um pouco famoso. Então desço correndo os degraus e lentamente ando pelo corredor à direita do palco. Eu também quero Will aqui. Quero que seja possível que pessoas como Will e Tiny sejam amigas, não apenas erros resultados de tentativas.

Embora sinta que conheço Will, mal me lembro de sua aparência. Tento passar por cada rosto em cada fileira. Mil pessoas enviando mensagens em seus celulares, rindo e se remexendo em seus assentos. Mil pessoas lendo o programa no qual, fico sabendo mais tarde, Jane e eu recebemos agradecimentos especiais por "serem incríveis". Mil pessoas esperando pra ver Gary fingindo que sou eu por algumas horas, sem a menor ideia do que estão prestes a ver. Assim como eu também não sei, claro — só sei que a peça mudou desde que a li há alguns meses.

Tanta gente, e tento olhar para cada uma delas. Vejo o Sr. Fortson, o orientador da AGH, sentado com seu companheiro. Vejo dois de nossos diretores assistentes. E então, quando chego ao meio, meus olhos examinando os rostos à procura de algum que pareça o de um Will Grayson, vejo dois rostos mais velhos me olhando do corredor. Meus pais.

— O que vocês estão fazendo aqui?

Meu pai dá de ombros.

— Você vai ficar surpreso de saber que não foi ideia minha.

Mamãe o cutuca.

— Tiny me escreveu uma mensagem muito simpática no Facebook nos convidando *pessoalmente*, e achei que foi muito doce da parte dele.

— Você é amiga do Tiny no Facebook?

— Sim. Ele solicitou minha amizade — diz minha mãe, falhando epicamente em linguagem Facebook.

— Bem, obrigado por virem. Eu vou estar nos bastidores, mas, hã, vejo vocês depois.

— Diga oi a Jane por nós — fala minha mãe, toda sorridente e com ar de conspiração.

— Farei isso.

Termino de percorrer o corredor e então volto pelo lado esquerdo. Nenhum Will Grayson. Quando volto aos bastidores, vejo Jane segurando um frasco gigante de Pepto-Bismol.

Ela o vira de cabeça pra baixo e diz:

— Ele bebeu tudo.

Tiny salta de trás do cenário e canta:

— E agora eu me sinto PErrrrrFEITO! — Sua voz parece boa.

— Rock 'n' roll — digo a Tiny. Ele vem até mim e me olha, inquiridor. — Tem umas mil e duzentas pessoas na plateia, Tiny — observo.

— Você não o viu — fala ele, concordando de leve com um aceno. — Ok. Sim. Ok. Está ok. Obrigado por me fazer calar a boca.

— E dar descarga em seus dez mil litros de vômito.

— Claro, por isso também. — Ele respira fundo e infla as bochechas, seu rosto se tornando quase perfeitamente circular. — Acho que está na hora.

Tiny reúne o elenco e a equipe técnica à sua volta. Ele se ajoelha no centro de uma compacta massa de gente, todos se tocando, afinal uma das leis da natureza é que gente de teatro ama se tocar. O elenco está no primeiro círculo em torno de Tiny, todos — homens e mulheres — vestidos como jogadores do White Sox. Em seguida o coro, vestido todo de preto no momento. Jane e eu nos inclinamos também. Tiny diz:

— Eu só quero dizer obrigado a todos vocês e que são todos incríveis, e que tudo é uma questão de saber cair. E também que lamento ter vomitado. E que vomitei de envenenamento por estar cercado por tanta gente incrível.

Isso provoca alguns risos nervosos.

— Sei que vocês estão apavorados, mas acreditem em mim: vocês são fabulosos. E, seja como for, não são vocês que estão na berlinda. Vamos lá tornar alguns sonhos realidade.

Todos meio que gritam e fazem essa coisa em que erguemos uma das mãos na direção do teto e a agitamos no ar. A luz sob as cortinas é apagada. Três jogadores de futebol empurram o cenário até o lugar correto. Saio do caminho, ficando parado no breu ao lado de Jane, cujos dedos se entrelaçam com os meus. Meu coração bate violentamente e só posso imaginar o que é ser Tiny nesse momento, rezando para que um litro de Pepto-Bismol crie um revestimento em suas cordas vocais, que ele não esqueça nenhum verso nem caia, nem desmaie, nem vomite. Já é difícil nos bastidores, e me dou conta da coragem que é preciso pra subir no palco e dizer a verdade. Pior, pra *cantar* a verdade.

Uma voz incorpórea diz:

— Para evitar interrupções ao fabuloso, por favor, desliguem seus celulares.

Levo a mão livre ao bolso e passo o meu para o modo vibratório. Sussurro para Jane: "Acho que *eu* estou com vontade de vomitar", e ela diz: "Shh", e eu sussurro: "Ei, as minhas roupas estão sempre superamarrotadas?", e ela sussurra: "Sim. *Shh*", e aperta minha mão. A cortina se abre. Aplausos educados.

Todos no elenco se sentam no banco de reservas, exceto Tiny, que anda, nervoso, de um lado para o outro na frente dos jogadores.

— Vamos, Billy. Tenha paciência, Billy. Espere a sua vez de arremessar. — Percebo que Tiny não está representando Tiny, e sim o treinador.

Um calouro gorducho representa Tiny. Ele não consegue parar de agitar as pernas; não sei dizer se está atuando ou nervoso. Ele diz, exageradamente afeminado:

— Ei, rebatedor, rebatedor, BALANCE, rebatedor..

Parece que ele está flertando com o rebatedor.

— Idiota — diz alguém no banco. — *Nosso jogador* está rebatendo.

Gary diz:

— Tiny é feito de borracha. Você, de cola. O que você diz quica nele e volta pra sua cachola.

Posso ver pelos ombros caídos e o olhar submisso que Gary sou eu.

— Tiny é gay — diz alguém.

O treinador gira na direção do banco e grita.

— Ei! EI! Nada de insultar os companheiros.

— Isso não é insulto — diz Gary.

Mas ele não é mais Gary. Não é Gary falando. Sou eu.

— É só uma coisa, tipo, algumas pessoas são gays, assim como outras têm olhos azuis.

— Cale a boca, Wrayson — diz o treinador.

O garoto representando Tiny olha agradecido pro garoto me representando, e então um dos valentões finge sussurrar:

— Vocês são tão *gays* um com o outro.

E eu digo:

— Não somos *gays*. Temos *oito* anos.

Isso aconteceu mesmo. Eu tinha esquecido, mas, vendo o momento ressuscitado, lembro.

E o garoto diz:

— Você quer ir pra segunda base... COM TINY.

O eu no palco apenas revira os olhos. Então o garoto gorducho representando Tiny se levanta, dá um passo à frente, parando diante do treinador, e canta:

— O que é a segunda base pra um gay?

E então Tiny dá um passo à frente e se junta a ele, em harmonia, e eles se lançam na melhor canção de musical que já ouvi. O coro canta:

O que é a segunda base pra um gay?
Seria brincar com peitinhos?
Não posso ver como isso possa ser bom
Tem mesmo que ser esse o caminho?

Atrás dos dois Tinys cantando de braços dados, os caras do coro — inclusive Ethan — apresentam uma dança coreografada com passos altos, antiquada e hilariantemente elaborada, seus tacos usados como bengalas e os bonés de beisebol como cartolas. No meio da performance, metade dos caras brande os tacos na direção da cabeça dos outros, e, embora de minha visão lateral, dê pra ver que é pura representação, quando os outros garotos caem dramaticamente pra trás e a música é interrompida, solto uma exclamação com a plateia. Momentos mais tarde, todos eles se põem de pé com um salto em um movimento único, e a música recomeça. Quando chega ao fim, Tiny e o garoto saem dançando do palco sob gritos estrondosos da multidão, e, quando as luzes se apagam, Tiny quase aterrissa em meus braços, banhado em suor.

— Nada mau — diz ele.

Eu simplesmente balanço a cabeça, estupefato. Jane o ajuda a tirar o sapato e diz:

— Tiny, você é uma espécie de *gênio*. — Ele arranca o uniforme de beisebol, revelando uma camisa polo roxa, típica de Tiny, e shorts cáqui.

— Eu sei, né? — responde. — Ok, hora de sair do armário pro povo — diz, e volta correndo pro palco. Jane agarra minha mão e me dá um beijo no pescoço.

É uma cena tranquila, Tiny contando aos pais que é "provavelmente meio gay". O pai fica sentado em silêncio, enquanto a mãe canta sobre o amor incondicional. A canção só é engraçada porque Tiny fica interrompendo com outras revelações a cada vez que a mãe canta "Nós vamos sempre amar nosso Tiny", tipo: "Além disso, colei na prova de álgebra" e "Tem uma razão pra sua vodca parecer aguada" e "Eu dou as ervilhas do meu prato pro cachorro".

Quando a canção termina, as luzes voltam a se apagar, mas Tiny não deixa o palco. Quando as luzes se acendem novamente, não há nenhum cenário, mas, a julgar pelas fantasias elaboradas do elenco, deduzo que estamos em uma Parada do

Orgulho Gay. Tiny e Phil Wrayson encontram-se no centro do palco enquanto as pessoas passam por eles, entoando seus cantos e acenando exageradamente. Gary está tão parecido comigo que é esquisito. Ele parece mais com o eu calouro do que Tiny parece o Tiny calouro.

Eles conversam por um minuto, e então Tiny diz:

— Phil, eu sou gay.

Aturdido, respondo:

— Não!

E ele diz:

— É verdade.

Balanço a cabeça.

— Você quer dizer, tipo, que está se sentindo gay, tipo, alegre?

— Não, quero dizer gay do tipo, aquele cara — aponta pra Ethan, que está usando uma camiseta amarela colada ao corpo — é um gato e, se eu conversasse com ele por um tempo e ele fosse legal e me respeitasse como pessoa, eu o deixaria me beijar na boca.

— Você é gay? — pergunto, aparentemente incapaz de compreender.

— Sim. Eu sei. Sei que é um choque. Mas eu queria que você fosse o primeiro a saber. Depois dos meus pais, quero dizer.

E então Phil Wrayson começa a cantar, mais ou menos exatamente o que eu disse quando isso aconteceu de fato:

— Agora você vai me dizer que o céu é azul, que você usa shampoo de mulher, que os críticos não gostam de Blink 182. Ah, em seguida, vai me dizer que o papa é católico, que prostitutas fazem sexo por dinheiro, que Elton John é brega.

E então a canção se transforma em um dueto, com Tiny cantando sua surpresa com o fato de eu saber que ele é gay e eu cantando que era óbvio.

— Mas eu jogo futebol.

— Cara, você não podia ser mais gay.

— Pensei que minha atuação como hétero merecesse um Tony.

— Mas, Tiny, e a sua coleção de mil *My Little Ponies*?

E assim por diante. Não consigo parar de rir, porém, mais que isso, não consigo acreditar que ele lembre de tudo tão bem, o quanto sempre fomos bons — apesar dos maus momentos — um pro outro. E eu canto:

— Você não me quer, não é?

E ele responde:

— Preferiria um canguru, poisé.

E atrás da gente o coro jogando as pernas pro alto como dançarinas de cancan.

Jane põe a mão no meu ombro, me fazendo inclinar, e sussurra:

— Está vendo? Ele te ama também.

E eu me viro pra ela e a beijo no rápido momento sem luz entre o fim da canção e o começo dos aplausos.

Quando a cortina se fecha para uma troca de cenário, não posso ver a ovação de pé, mas posso ouvi-la.

Tiny deixa correndo o palco, gritando:

— UUUUUUUHUL!

— Vocês podiam mesmo ir pra Broadway — digo a ele.

— Ficou muito melhor quando mudei o tema pra amor.

— Ele me olha, com seu meio sorriso, e eu sei que é o mais

perto que ele vai chegar. Tiny é o gay, mas eu sou o sentimental. Faço que sim com a cabeça e sussurro *obrigado*.

— Desculpe se você se mostra um pouco irritante na próxima parte.

Tiny leva a mão ao cabelo e Nick surge do nada, mergulhando por cima de um amplificador para agarrar o braço de Tiny e gritando: "NÃO TOQUE EM SEU CABELO PERFEITO." A cortina se ergue e o cenário é um corredor em nossa escola. Tiny está colando cartazes. Eu o estou irritando, aquele tremor em minha voz. Não me incomodo, ou pelo menos não me incomodo muito — o amor está ligado à verdade, afinal. Logo após essa cena, vem uma de Tiny bêbado em uma festa, na qual o personagem Janey faz sua única aparição no palco — um dueto com Phil Wrayson, cantado de lados opostos de um Tiny desmaiado, a canção culminando com a voz de Gary repentinamente ganhando confiança e então Janey e eu debruçando sobre o balbuciante corpo semiconsciente de Tiny e nos beijando. Eu só consigo ver parcialmente a cena, porque fico querendo ver o sorriso de Jane enquanto ela assiste.

As músicas ficam cada vez melhores a partir dali, até que, na última canção antes do intervalo, a plateia inteira canta junto enquanto Oscar Wilde entoa acima de um Tiny adormecido:

A verdade pura e simples.
Raramente é pura e nunca simples de fato.
O que um garoto pode fazer
Quando mentira e verdade são ambas pecado?

Quando essa termina, a cortina se fecha e as luzes da casa se acendem para o intervalo. Tiny corre até nós, coloca uma mão gigante no ombro de cada um e solta um grito de alegria.

— É hilário — digo a ele. — De verdade. É simplesmente... incrível.

— Uhuul! Mas o segundo ato é bem mais triste. É a parte romântica. Ok, ok, ok, ok, vejo vocês depois — avisa ele, e então corre pra felicitar, e provavelmente criticar, seu elenco. Jane me leva pra um canto isolado atrás do cenário, nos bastidores, e pergunta:

— Você fez mesmo tudo aquilo? Você cuidava dele na Liga Júnior?

— Ah, ele cuidava de mim também — respondo.

— A compaixão é excitante — diz ela, e nos beijamos. Minutos depois, vejo as luzes diminuírem e então reacenderem. Jane e eu seguimos pro nosso ponto de observação ao lado do palco. As luzes se apagam novamente, sinalizando o fim do intervalo. E, depois de um instante, uma voz vinda do alto diz: "O amor é o milagre mais comum."

A princípio penso que Deus está, tipo, falando com a gente, mas rapidamente percebo que é a voz de Tiny soando pelos alto-falantes. O segundo ato está começando.

Tiny se senta na beira do palco, no escuro, falando: "O amor é sempre um milagre, em todo lugar, sempre. Mas, para nós, é um pouco diferente. Não quero dizer que seja mais milagroso", diz ele, e as pessoas riem um pouco. "No entanto, é." As luzes se acendem lentamente, e só agora vejo que atrás de Tiny há um balanço de verdade que parece ter sido literalmente arrancado de um playground e transportado pro palco. "Nosso milagre é diferente porque as pessoas afirmam que é impossível. Como está dito em Levítico: 'Homem não se deitará com homem.'" Ele olha para baixo, e em seguida para a plateia, e posso ver que procura o outro Will Grayson e não o encontra. Então ele se levanta.

"Mas ali não diz que homem não deve se apaixonar por homem, porque isso é simplesmente impossível, certo? Os gays são animais, satisfazendo seus desejos animais. É impossível para os animais se apaixonarem. E no entanto..."

De repente, os joelhos de Tiny fraquejam e ele desaba no chão. Eu me assusto e começo a correr para levantá-lo, mas Jane agarra minha camisa enquanto Tiny ergue a cabeça na direção da plateia e diz: "Eu me apaixono e me apaixono e me apaixono e me apaixono e me apaixono."

E, nesse mesmo momento, meu telefone vibra em meu bolso. Eu o pego. Na tela, a identificação da chamada diz: *Will Grayson.*

capítulo vinte

o que está diante de mim é a coisa mais louca que já vi. de longe.

sinceramente, não pensei que gideon e eu fôssemos chegar a tempo. pra começar, o trânsito de chicago é cruel, mas nesse caso estava seguindo mais lento que os pensamentos de um drogado. gideon e eu tivemos de fazer um concurso de xingamentos pra nos acalmar.

agora que chegamos, estou pensando que não tem como nosso plano funcionar. é ao mesmo tempo insano e genial, que é exatamente o que tiny merece. e exigia que eu fizesse várias coisas que em geral não faço, incluindo:

- falar com estranhos
- pedir favores a estranhos
- estar disposto a bancar o completo idiota
- deixar que outra pessoa (gideon) me ajudasse

também depende de um número de coisas além do meu controle, entre as quais:

- a gentileza de estranhos
- a habilidade de estranhos em serem espontâneos
- a habilidade de estranhos em dirigirem com rapidez
- o musical de tiny ter mais de um ato

tenho certeza de que vai ser um desastre total. mas creio que a questão é que vou fazer de qualquer jeito.

sei que foi por um triz, porque quando gideon e eu entramos no auditório, um balanço está sendo colocado no palco. e não é qualquer balanço. eu o reconheço. exatamente *aquele mesmo* balanço. e é aí que a loucura entra em ação, total.

gideon: puta merda.

a essa altura, gideon sabe tudo que aconteceu. não só comigo e com tiny, mas comigo e com maura, e comigo e minha mãe, e basicamente comigo e o mundo inteiro. e nem uma só vez ele me disse que eu era idiota, ou mau, ou horrível, ou que estivesse além de qualquer ajuda. em outras palavras, ele não disse nenhuma das coisas que eu venho dizendo a mim mesmo. em vez disso, no carro, ele disse

gideon: tudo faz sentido.
eu: faz?
gideon: completamente. eu teria feito as mesmas coisas que você fez.
eu: mentiroso.
gideon: não é mentira.

então, totalmente do nada, ele estende o dedo mindinho.

gideon: juro, sem mentiras.

e engancho meu mindinho no dele. seguimos adiante por algum tempo assim, com meu dedinho enroscado no dele.

332

eu: o próximo passo agora é a gente virar irmãos com um pacto de sangue.

gideon: e vamos dormir um na casa do outro.

eu: no quintal.

gideon: e não vamos convidar as garotas.

eu: que garotas?

gideon: as garotas hipotéticas que não vamos convidar.

eu: vai ter biscoito com marshmallow?

gideon: o que você acha?

eu sei que haveria biscoito com marshmallow.

gideon: você sabe que é maluco, certo?

eu: isso é novidade?

gideon: por fazer o que você está prestes a fazer.

eu: foi ideia sua.

gideon: mas foi você quem fez, não eu. quero dizer, você é quem vai fazer.

eu: vamos ver.

e era estranho, porque enquanto seguíamos pra lá, não era em gideon nem em tiny que eu estava pensando, mas em maura. ali naquele carro com gideon, tão completamente à vontade comigo mesmo, eu não podia deixar de pensar que era isso que ela queria de mim. era isso que ela sempre quis de mim. e nunca seria assim. mas acho que pela primeira vez entendi por que ela se esforçou tanto. e por que tiny tentava tanto também.

agora gideon e eu estamos parados no fundo do teatro. olho à minha volta pra ver quem mais está aqui, mas não consigo ver no escuro.

o balanço continua no fundo do palco enquanto um coro de garotos vestidos de garotos e garotas também vestidas de garotos se enfileira diante dele. dá pra saber que a cena pretende ser um desfile dos ex-namorados de tiny porque, enquanto se enfileiram, cantam:

coro: somos a parada dos ex-namorados!

não tenho dúvida de que o garoto no fim da fila supostamente sou eu. (ele está todo vestido de preto e parece muito mal-humorado.)

todos começam a cantar seus versos de rompimento:

ex-namorado 1: você é grudento demais.

ex-namorado 2: quando canta não para mais.

ex-namorado 3: você é tão maciço.

ex-namorado 4: eu sou muito passivo.

ex-namorado 5: sejamos amigos doravante.

ex-namorado 6: não namoro atacantes.

ex-namorado 7: encontrei outro alguém.

ex-namorado 8: não vou me justificar pra ninguém.

ex-namorado 9: eu não sinto mais a chama.

ex-namorado 10: pra mim, foi só um programa.

ex-namorado 11: quer dizer que não tá a fim?

ex-namorado 12: não consigo tirar a dúvida de mim.

ex-namorado 13: tenho outras coisas a fazer.

ex-namorado 14: tenho outros caras pra satisfazer.

ex-namorado 15: nosso amor só existiu em sua mente.

ex-namorado 16: tenho medo de que minha cama não te aguente.

ex-namorado 17: vou ficar em casa lendo livros em sequência.

ex-namorado 18: acho que está apaixonado é pela minha carência.

é isso — centenas de mensagens de texto e conversas, milhares e mais milhares de palavras ditas e escritas, todas resumidas em um único verso. é nisso que se transformam os relacionamentos? uma versão reduzida da mágoa, nada mais. foi mais que isso. eu sei que foi mais que isso.

e talvez tiny saiba também. porque todos os namorados deixam o palco, exceto o nº 1, e percebo que vamos ver todos eles, e talvez cada um tenha uma nova lição para tiny e a plateia.

como vai demorar um pouco até chegarmos ao ex-namorado nº 18, concluo que esse é um bom momento pra ligar pro outro will grayson. receio que ele tenha desligado o telefone, mas quando vou pro saguão pra ligar (deixando gideon guardando um lugar pra mim), ele atende e diz que vai me encontrar em um minuto.

eu o reconheço de imediato, embora haja alguma coisa diferente nele também.

eu: oi

o.w.g.: oi

eu: um tremendo espetáculo que está rolando aí dentro.

o.w.g.: é mesmo. que bom que você veio.

eu: é. porque, sabe, tive uma ideia. bem, na verdade, foi ideia do meu amigo. mas ouça o que vamos fazer...

explico a ele.

o.w.g.: isso é loucura.

eu: eu sei.

o.w.g.: você acha que estão mesmo aqui?

eu: disseram que viriam. mas, mesmo que não tenham vindo, pelo menos tem eu e você.

o outro will grayson parece apavorado.

o.w.g.: você vai ter de ser o primeiro. eu te acompanho, mas não creio que consiga ser o primeiro.

eu: combinado.

o.w.g.: isso é totalmente doido.

eu: mas tiny vale a pena.

o.w.g.: é, tiny vale a pena.

sei que devíamos voltar pra peça, mas tem uma coisa que quero perguntar agora que ele está na minha frente.

eu: posso te fazer uma pergunta pessoal, de will grayson pra will grayson?

o.w.g.: hã... claro.

eu: você acha que as coisas estão diferentes? isto é, desde que nos conhecemos?

o.w.g. pensa por um instante, em seguida faz que sim com a cabeça.

o.w.g.: sim. acho que não sou mais o will grayson que eu era.

eu: nem eu.

abro a porta do auditório e espio lá dentro novamente. já estão no ex-namorado nº 5.

o.w.g.: é melhor eu voltar pros bastidores. jane deve estar se perguntando aonde eu fui.

eu: jane, é?

o.w.g.: é, jane·

é tão fofo: umas duzentas emoções diferentes cruzam o rosto dele quando diz o nome dela — de ansiedade extrema a felicidade absoluta.

eu: bem, vamos pros nossos lugares.

o.w.g.: boa sorte, will grayson.

eu: boa sorte pra todos nós.

volto lá pra dentro com cuidado e encontro gideon, que me põe a par do que está acontecendo.

gideon (sussurrando): o ex-namorado nº 6 só falou de suportes atléticos. chegando a ponto do fetiche, eu diria.

quase todos os ex-namorados são assim — nunca tridimensionais de fato, mas logo fica evidente que isso é proposital, que tiny está mostrando que jamais conseguiu conhecê-los em toda sua dimensão, que estava tão absorto pela própria paixão que não parou pra pensar pelo que estava apaixonado. é de uma verdade de dar agonia, pelo menos para os ex como eu. (vejo alguns outros garotos se remexendo na cadeira, então provavelmente não sou o único ex na plateia.) passamos pelos primeiros 17 ex, e então o palco escurece e o balanço é deslocado para o centro. de repente, tiny está sob o foco das luzes, no balanço, e é como se minha vida tivesse sido rebobinada e estivesse sendo passada novamente pra mim, só que musicada. a cena é exatamente como recordo... até que não é mais, e tiny está inventando esse novo diálogo entre nós.

eu-no-palco: eu sinto muito mesmo.

tiny: não sinta. eu fiquei de quatro por você. e sei o que acontece no fim quando a gente cai — vamos parar no chão.

eu-no-palco: eu só fico muito chateado comigo. sou a pior coisa no mundo pra você. sou sua granada de mão sem pino.

tiny: eu gosto da minha granada de mão sem pino.

é engraçado — me pergunto se eu tivesse dito isso, e se ele tivesse dito aquilo, se então as coisas teriam sido diferentes. porque eu saberia que ele compreendia, pelo menos um pouco. mas acho que ele precisava escrever essa história como um musical pra poder ver. ou dizer.

eu-no-palco: bem, eu não gosto de ser sua granada de mão sem pino. nem a de ninguém.

mas o estranho é que, pela primeira vez, sinto que o pino está no lugar.

tiny está olhando pra plateia nesse momento. não tem como ele saber que estou aqui. mas talvez esteja me procurando mesmo assim.

tiny: eu só quero que você fique feliz. comigo, com outra pessoa ou com ninguém. só quero que você fique feliz. quero que fique de bem com a vida. com a vida como ela é. e eu também. é tão difícil aceitar que a vida é ser arrebatado. é ser arrebatado e aterrissar. ser arrebatado e aterrissar. concordo que não é o ideal. concordo.

ele está falando comigo. está falando consigo mesmo. talvez não haja diferença.
eu entendo. eu compreendo.
e então ele me perde.

tiny: mas existe uma palavra, essa palavra que phil wrayson me ensinou uma vez: *weltschmerz*. é a depressão que você sente quando o mundo como é não se alinha com o mundo como você acha que devia ser. eu vivo em um grande e maldito oceano de *weltschmerz*, sabe? e o mesmo acontece com você. e com todo mundo. porque todo mundo acredita que deveria ser possível só continuar sendo arrebatado e arrebatado pra sempre, sentir o fluxo de ar no rosto enquanto se é carregado, esse ar puxando seu rosto e formando um sorriso radiante. e isso *deveria* ser possível. a gente *deveria* poder ser arrebatado pra sempre.

e eu penso: não.

sério. não.

porque eu passei a vida sendo carregado. não o tipo de arrebatamento de que tiny está falando. ele está falando sobre amor. eu estou falando de vida. no meu tipo de voo, não tem aterrissagem. só tem o choque contra o chão. duro. morto, ou querendo estar morto. assim o tempo todo em que você está sendo carregado, a sensação que experimenta é a pior do mundo. porque você sente que não tem nenhum controle. você sabe como termina.

eu não quero ser carregado. tudo que eu quero é me manter em chão sólido.

e o mais estranho é que tenho a sensação de que estou fazendo isso agora. porque estou tentando fazer alguma coisa de bom. da mesma maneira que tiny está tentando fazer alguma coisa de bom.

tiny: você ainda é uma granada sem pino quando sente que o mundo não é perfeito.

não, sou uma granada sem pino quando o mundo é cruel. mas todas as vezes em que alguém prova que estou errado, o pino entra um pouquinho mais.

tiny: e eu ainda... toda vez que isso acontece comigo, toda vez que caio no chão, ainda me dói como se nunca tivesse acontecido antes.

ele agora está balançando mais alto, tomando impulso forte com as pernas, o balanço gemendo. dá a impressão de que a engenhoca toda virá abaixo, mas ele continua a impulsionar as pernas e fazer força com os braços contra a corrente e falar.

tiny: porque não podemos parar o *weltschmerz*. não podemos parar de imaginar o mundo como deveria ser. o que é incrível! é a minha coisa favorita sobre nós!

quando ele chega ao topo do movimento agora, está acima do alcance das luzes, gritando da escuridão para a plateia. em seguida ele volta ao campo de visão, suas costas e sua bunda vindo velozes em nossa direção.

tiny: e se você quer ter isso, vai ter a queda. na expressão não se diz *subindo* de amores. é por isso que amo a gente!

no alto do arco, acima das luzes, ele se solta do balanço. ele é tão incrivelmente ágil e rápido ao fazê-lo que mal posso ver, mas ele se ergue pelos braços e leva as pernas ao alto e então larga o balanço e agarra uma viga. o balanço cai antes dele, e todos — a plateia, o coro — arquejam.

tiny: porque sabemos o que vai acontecer quando cairmos!

a resposta a isso é, naturalmente, que vamos cair de bunda. que é exatamente o que tiny faz. ele solta as vigas, despenca bem diante do balanço e desmorona no chão. eu me encolho, e gideon segura a minha mão.

não sei dizer se o garoto que me representa está atuando ou não quando pergunta a tiny se ele está bem. qualquer que seja o caso, tiny gesticula, dispensando minha imitação, então sinaliza para o regente e, um instante depois, começa uma canção suave, as notas de piano bem espaçadas. tiny recobra o fôlego durante a introdução e recomeça a cantar.

tiny:
é só uma questão de cair
você aterrissa e se levanta pra poder cair de novo
é só uma questão de cair
não vou ter medo de bater naquele muro outra vez

o caos se instala lá no palco. o coro agarra-se desesperadamente ao refrão. eles continuam cantando sobre como é a queda, e então tiny dá um passo à frente e diz sua fala acima das vozes.

tiny: talvez esta noite vocês tenham medo de cair, e talvez haja alguém aqui ou em algum outro lugar em quem vocês estejam pensando, com quem estejam preocupados, se afligindo, tentando decidir se querem cair, ou como e quando vão alcançar o solo. e preciso dizer a vocês, amigos, que parem de pensar na aterrissagem, porque o importante é a queda.

é incrível. é como se ele estivesse se erguendo acima do palco, tão forte é sua convicção nessas palavras. e eu me dou conta do que tenho de fazer. tenho de ajudá-lo a perceber que é a convicção, não as palavras, que significam tudo. tenho de fazê-lo perceber que a questão não é cair. é flutuar.

tiny pede que aumentem as luzes. ele olha à volta, mas não me vê.

engulo em seco.

gideon: pronto?

a resposta a essa pergunta sempre vai ser não. mas tenho de fazer assim mesmo.

tiny: talvez haja alguma coisa que vocês tenham medo de dizer, ou alguém que vocês temam amar, ou algum lugar aonde têm medo de ir. vai doer. vai doer porque é importante.

não, eu penso. NÃO.
não precisa doer.
eu me ponho de pé. e então quase volto a me sentar. tenho de usar toda minha força pra ficar de pé.
olho pra gideon.

tiny: mas acabei de cair e ir ao chão, e ainda estou aqui de pé para lhes dizer que é preciso aprender a amar a queda, porque o que importa é a queda.

estendo meu dedo mindinho. gideon o segura com o seu.

tiny: se deixe arrebatar pelo menos uma vez. deixe-se arrebatar!

o elenco inteiro está no palco nesse momento. vejo que o outro will grayson se infiltrou também, e está usando um jeans amassado e uma camisa xadrez. ao lado dele, uma garota que deve ser jane, vestida com uma camiseta que diz *Estou com Phil Wrayson.*

tiny faz um gesto, e de repente todos no palco estão cantando.

coro: me abrace mais forte, me abrace mais forte

e eu ainda estou de pé. estou fazendo contato visual com o outro will grayson, que parece nervoso mas assim mesmo sorri. e estou vendo algumas pessoas fazendo que sim com a cabeça em minha direção. deus, espero que eles sejam quem espero que sejam.

de repente, com um grandioso gesto, tiny para a música. ele avança até a frente do palco e o restante do cenário fica escuro. é só ele sob um refletor, olhando para a plateia. ele fica ali parado por um instante, absorvendo tudo. e então encerra o espetáculo dizendo:

tiny: meu nome é tiny cooper. e esta é a minha história.

faz-se silêncio então. as pessoas esperam que a cortina desça pra que o espetáculo encerre definitivamente, para que os aplausos comecem. tenho menos de um segundo. aperto com força o mindinho de gideon, então o solto. levanto a mão.

tiny me vê.

outras pessoas na plateia me veem.

eu grito

eu: TINY COOPER!

e é isso.
espero de verdade que funcione.

eu: meu nome é will grayson. e eu te aprecio, tiny cooper!

agora estão todos olhando pra mim, e muitos parecem confusos. não têm a menor ideia se isso ainda faz parte do espetáculo.
o que eu posso dizer? estou dando a ele um novo fim.
agora um homem de uns vinte e poucos anos vestindo um colete hipster se levanta. ele me olha por um segundo, sorri, então se volta para tiny e diz

homem: meu nome também é will grayson. eu moro em wilmette. e também te aprecio, tiny cooper.

é a deixa pro homem de 79 anos na última fileira.

senhor: meu nome é william t. grayson, mas pode me chamar de will. e com toda certeza eu te aprecio, tiny cooper.

obrigado, google. obrigado, listas telefônicas on-line. obrigado, detentores do nome.

mulher de quarenta e poucos: oi! eu sou wilma grayson, de hyde park. e eu te aprecio, tiny cooper.

garoto de dez anos: oi. eu sou will grayson. o quarto. meu pai não pôde vir, mas nós dois te apreciamos, tiny cooper.

devia haver um outro. um aluno do segundo ano na north-western.

faz-se uma pausa dramática. todos estão olhando ao redor.

e então ELE se levanta. se a frenchy's pudesse engarrafá-lo e vendê-lo como produto pornô, provavelmente seriam donos de metade de chicago em um ano. ele é o que aconteceria depois de nove meses se abercrombie trepasse com fitch. parece um astro do cinema, um nadador olímpico e o próximo top model masculino da américa, tudo de uma só vez. está usando uma camisa prateada e calça cor-de-rosa. tudo nele brilha.

não é absolutamente o meu tipo, mas...

Deus Gay: meu nome é will grayson. e eu te *amo*, tiny cooper.

finalmente, tiny, que esteve atipicamente mudo o tempo todo, diz algumas palavras.

tiny: 847-555-3982
Deus Gay: 847-555-7363
tiny: ALGUÉM, POR FAVOR, PODE ANOTAR ISSO PRA MIM?

metade da plateia faz que sim com a cabeça.

e então faz-se silêncio outra vez. na verdade, é um pouco constrangedor. não sei se me sento ou não.

então ouve-se um ruído vindo da parte escura do palco. o outro will grayson dá um passo, destacando-se do coro. ele vai até onde tiny está e o olha nos olhos.

o.w.g.: você sabe o meu nome. e eu te amo, tiny cooper. embora não da mesma maneira que o cara de calça rosa possa te amar.

e então a garota que deve ser jane se pronuncia.

garota: meu nome não é will grayson, e eu te aprecio de montão, tiny cooper.

é a coisa mais estranha que já vi. um a um, todos no palco dizem a tiny cooper que o apreciam. (até o cara chamado phil wrayson — quem diria?); e a plateia entra em cena. fileira a fileira. alguns o dizem. outros cantam. tiny está chorando. eu estou chorando. todo mundo está chorando.

perco a noção do tempo. então, quando acaba, os aplausos começam. os aplausos mais altos que já ouvi.
tiny dá um passo à frente no palco. as pessoas jogam flores. ele nos uniu a todos. todos sentimos isso.

gideon: você se saiu muito bem.

torno a ligar nossos mindinhos.

eu: é, nós nos saímos bem.

faço um sinal de cabeça pro outro will grayson, lá em cima no palco. ele devolve o gesto. há uma conexão entre nós, entre mim e ele.

a verdade, porém?

todo mundo tem uma.

essa é nossa maldição e nossa bênção. essa é nossa tentativa e nosso erro e nossa *coisa certa*.

os aplausos continuam. olho para tiny cooper.

ele pode ser pesado, mas neste momento está flutuando.

Este livro foi composto nas tipologias Adobe
Garamond Pro, corpo 12/16, e Helvetica Neue LT Std,
corpo 14/16, e impresso em papel off-white $80g/m^2$
no Sistema Cameron da Divisão Gráfica
da Distribuidora Record.